A-Z STAFFORD

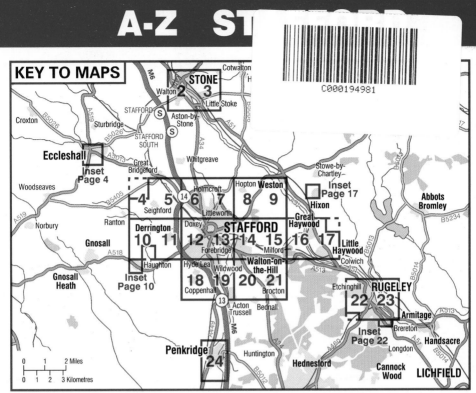

KEY TO MAPS

Croxton · Sturbridge · STAFFORD · Walton · STONE 2 · 3 · Little Stoke · Cotwalton · Aston-by-Stone · STAFFORD SOUTH

Woodseaves · Eccleshall · Inset Page 4 · Great Bridgeford · Whitgreave · Stowe-by-Chartley

Norbury · Ranton · Seighford · Holmcroft · 4 · 5 · 6 · 7 · Littleworth · 8 · 9 · Hopton Weston · Hixon · Inset Page 17 · Abbots Bromley

Gnosall · Derrington · 10 · 11 · Doxey · 12 · 13 · 14 · 15 · STAFFORD · Forebridge · 16 · 17 · Great Haywood · Little Haywood · Milford · Colwich

Gnosall Heath · Haughton · Inset Page 10 · Hyde Lea · 18 · 19 · 20 · 21 · Wildwood · Walton-on-the-Hill · Brocton · Coppenhall · Bednall · Etchinghill · 22 · 23 · RUGELEY · Inset Page 22 · Armitage · Brereton · Handsacre · Longdon

Penkridge · 24 · Acton Trussell · 13 · Huntington · Hednesford · Cannock Wood · LICHFIELD

Scale bar: 0 1 2 Miles / 0 1 2 3 Kilometres

Reference

Motorway	M6
A Road	A513
Proposed	
B Road	B5066
Dual Carriageway	
One Way Street Traffic flow on A roads is indicated by a heavy line on the driver's left.	
Pedestrianized Road	
Track	
Footpath	
Residential Walkway	

Railway	Level Crossing / Station
Built Up Area	WEST / CL
Local Authority Boundary	
Postcode Boundary	
Map Continuation	8
Car Park Selected	P
Church or Chapel	†
Fire Station	■
Hospital	H
House Numbers A & B Roads only	17 / 54
Information Centre	i
National Grid Reference	325

Police Station	▲
Post Office	★
Toilet with facilities for the Disabled	▽
Educational Establishment	
Hospital or Health Centre	
Industrial Building	
Leisure or Recreational Facility	
Place of Interest	
Public Building	
Shopping Centre or Market	
Other Selected Buildings	

Scale 1:15,840

0 ¼ ½ Mile
0 250 500 750 Metres 1 Kilometre

4 inches (10.16 cm) to 1 mile
6.31cm to 1kilometre

Geographers' A-Z Map Company Limited

Head Office :
Fairfield Road, Borough Green, Sevenoaks, Kent TN15 8PP
Tel: 01732 781000

Showrooms :
44 Gray's Inn Road, London WC1X 8HX
Tel: 020 7440 9500

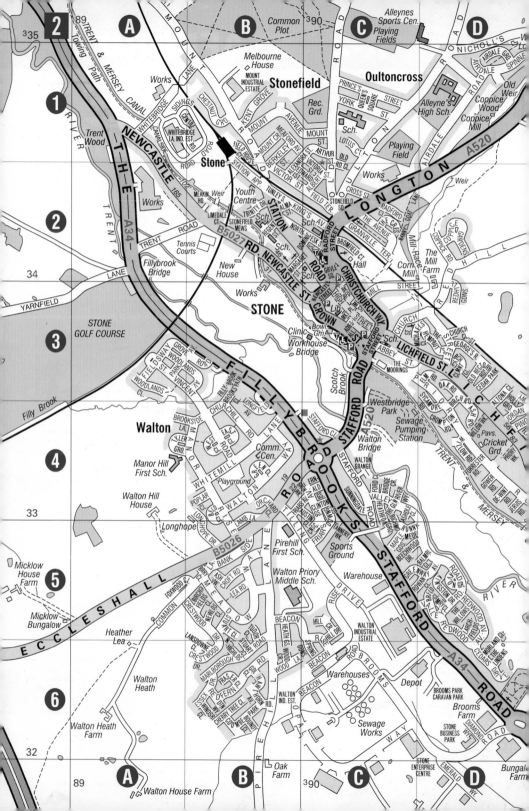

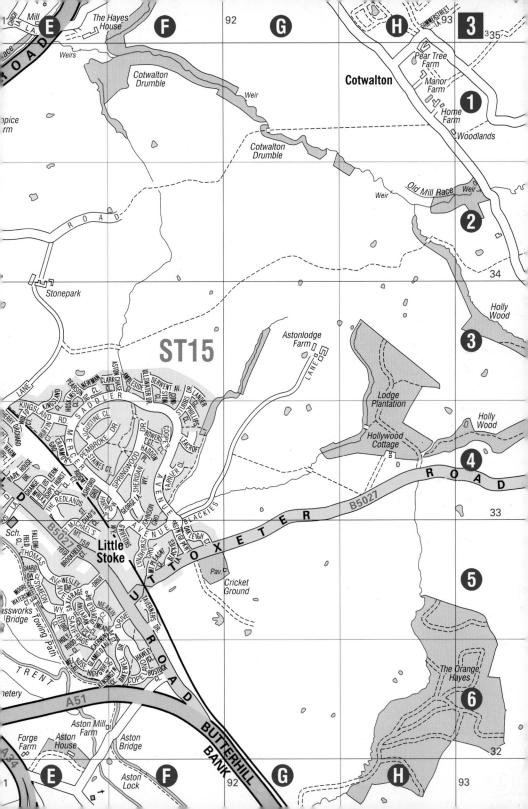

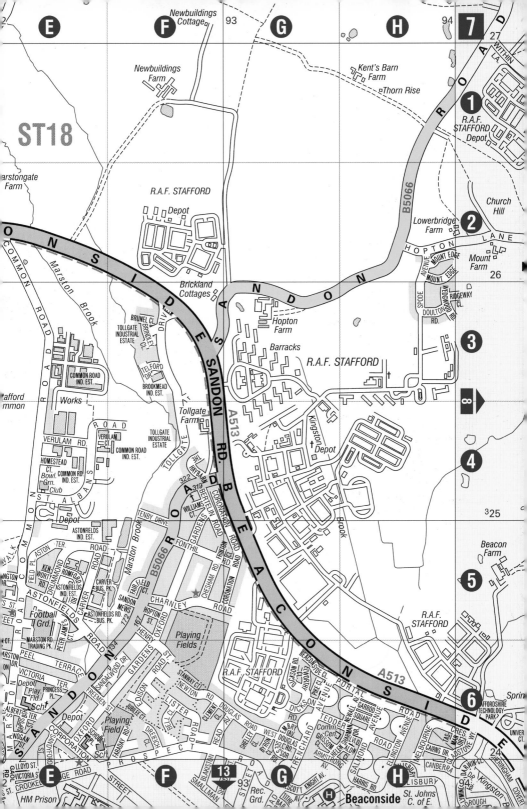

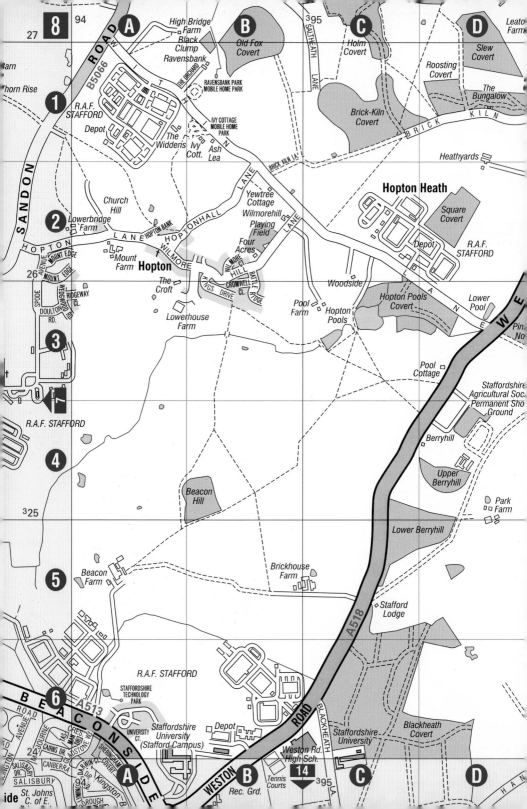

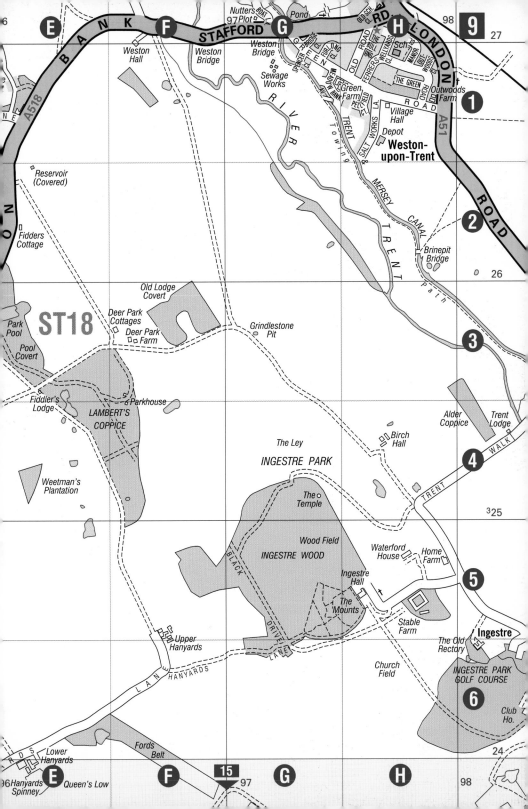

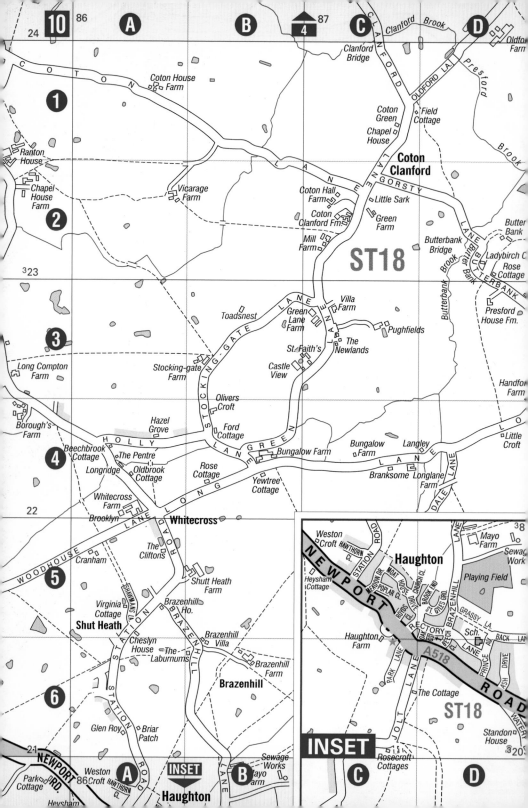

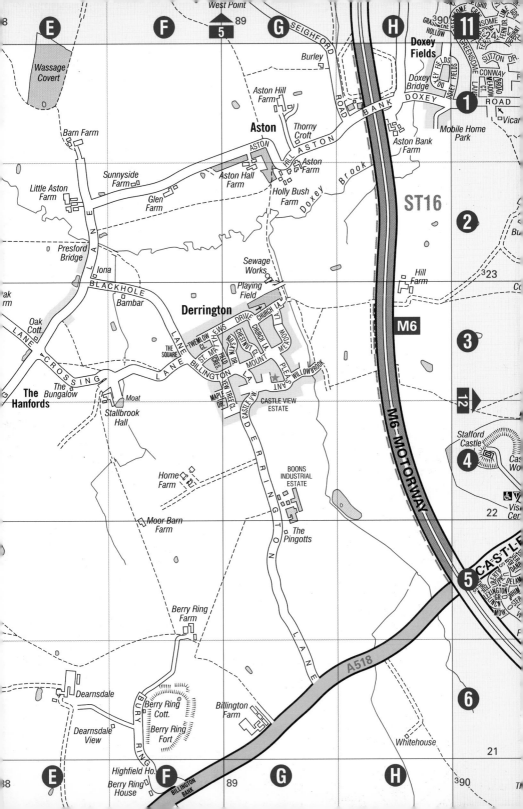

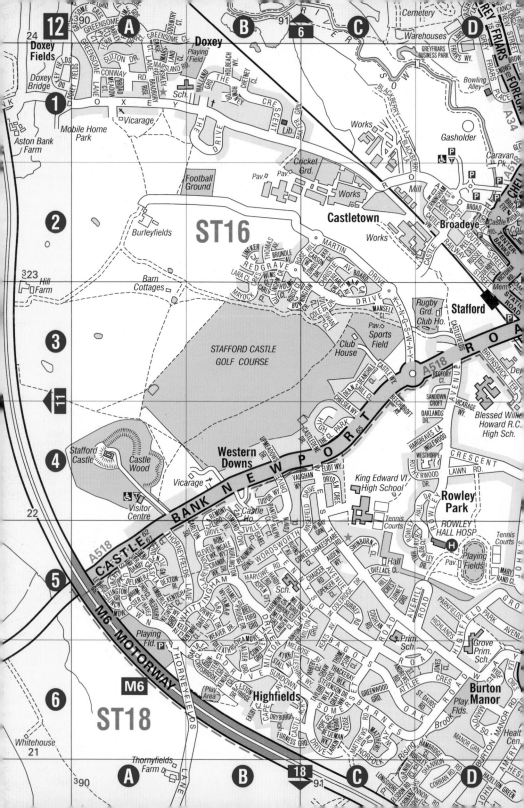

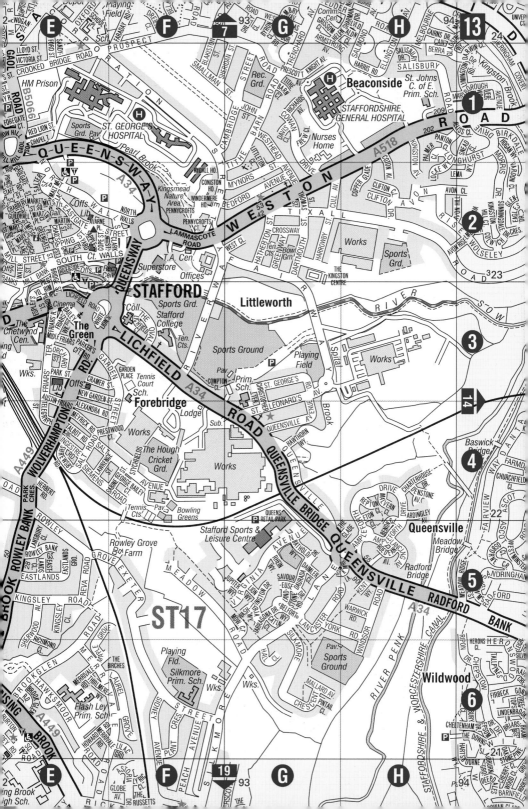

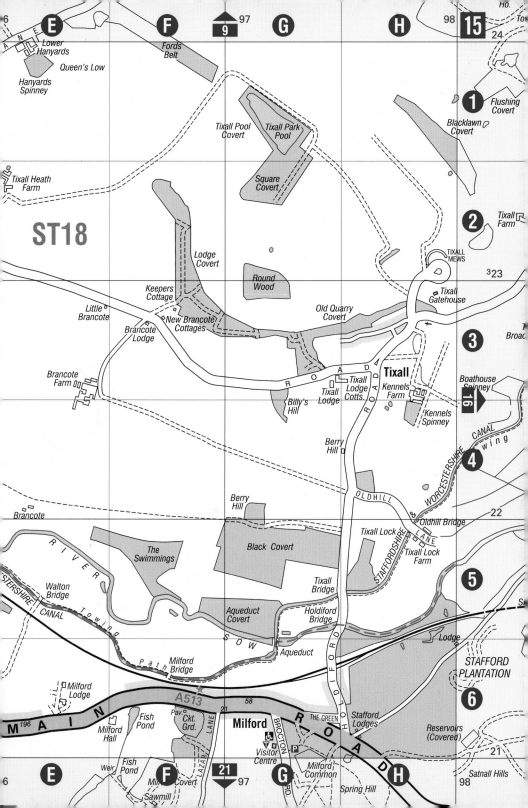

24

A Town Field **B** 99 **C** **D** Hoomill Bridge Farm Cotta

Lionlodge Covert

Lion Lodges

Hoo Mill

Hoomill Cottages

1 Flushing Covert

Blacklawn Covert

HOOMILL LANE

TRENT & MERSEY CANAL

Middle Bridge &

RIVER TRENT

TRENT MILL

ST18

Great Haywood Nurseries

Great Haywood

2 Tixall Farm

TIXALL CT.

TIXALL MEWS

Wharf Bridge

323

Tixall Gatehouse

Swivel Bridge

Haywood Mill

Aqueduct

Haywood Junction

MILL COURT FIELDS

ELM CL MAIN

SCHOOL LA

BIG WRYLA

MANOR

THE SQ

ROCKINGH

LICHFIELD

COVER

3 **Tixall**

The Broad Water

WORCESTERSHIRE CANAL

Path

Trentlane Lock

St. Johns R.C. Prim. Sch.

Boathouse Spinney

15

Kennels Farm

Kennels Spinney

STAFFORDSHIRE &

Towing

SOW

Shugborough Hall

The Mansion House

Servants Quarters & County Mus.

Essex Bridge

Weir

Anson C. of E. Prim. Sch.

4 Hollis Spinney

RIVER

Snipe Haugh

22

Oldhill Bridge

LANE

Tixall Lock

Tixall Lock Farm

The Dark Lantern

Icehouse

SHUGBOROUGH PARK

ST17

Shugborough Park Farm & Agricultural Mus.

Watermill

Landing Stage

Salt's Plantation

5 Shugborough Tunnel

Hadrian's Arch

Sports Ground

Pav.

Girl's Camp

Underley Cop

Duck Covert

RIVER TRENT

Lodge

White Barn Farm

Boy's Camp

Sewage Works

The Kennels

6 STAFFORD PLANTATION

A513

Santnall Cottage

Sher Brook

The Haywoodpark Firs Cottages

Reservoirs (Covered)

21

Satnall Hills

MAIN

Alder Carr

ROAD

Coalpit Lane Covert

Lichfield Lodge Plantation

Lie Lo

A 98 **B** 99 **C** **D**

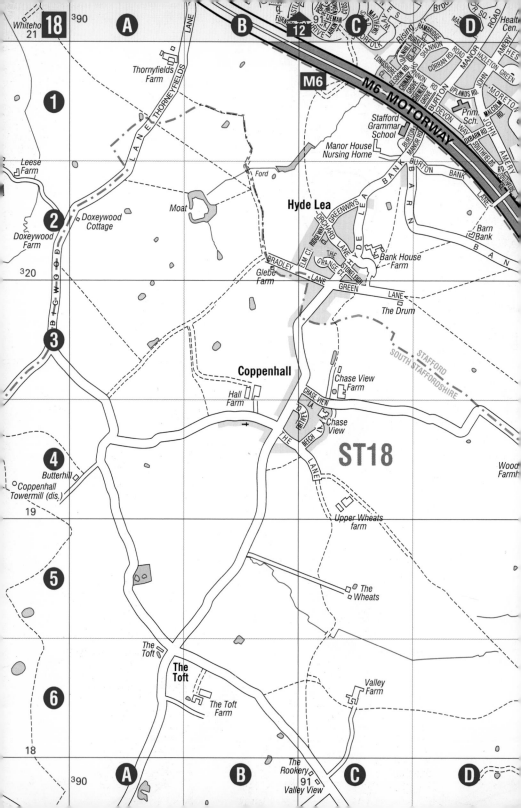

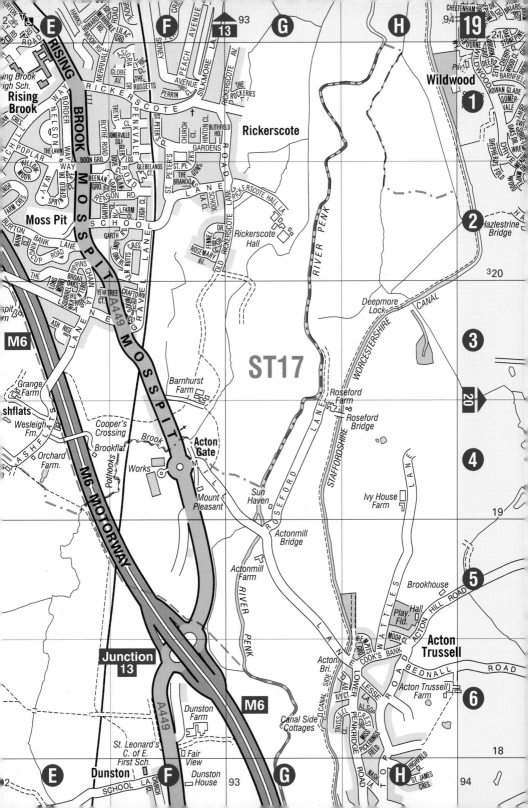

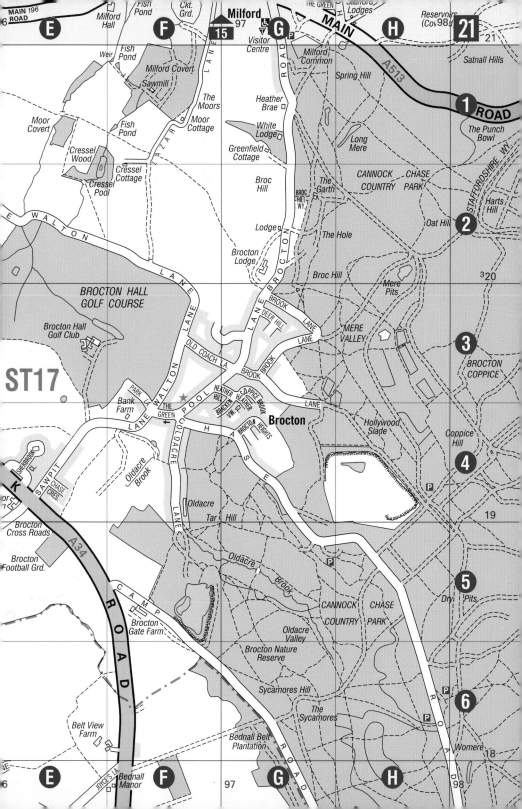

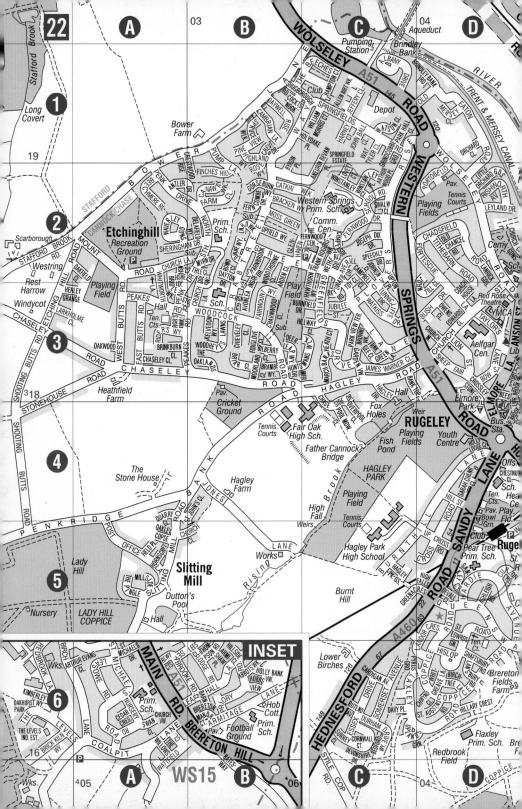

E F G 06 H

405

19

1

Glaemead
Rydal
Farm
Works
**Rugeley
Trent Valley**

B5013 ROAD

Brook

Moreton

Parchfield
Farm

Rookery

Colton
Hall
Farm

EASTERN

RD.

BISHOPS GRGE.
WY.
VICA. CFT. 33

TRENT VALLEY
TRADING ESTATE

Colton
Mill
Bridge

Wks.

Colton Mill
Farm
Rugeley
Junction

THBURY

Cawarden Springs
Cottages

2

RIVERSIDE
IND. EST.

HARLEY
RD.

BY-PASS

Playing
Field

Depot

Wks.

PHOENIX CL.
EVANS ST.
Mag.
Court
SNEYLANDS

PO WER

TANNERY CL.
LOVE LEATHERMILL RD.
Works

(PROPOSED)

LICHFIELD
CANNOCK CHASE

New
House

3

Cawarden Springs
Wood

Cawarden Springs
Farm

3 18

uperstore

Caravan
Site

RIVER

P

FORGE
MEWS

FORGE RD.
MILL LN.
HERON

N. AINS CL.
QUEEN
KEYSTONE KING

STATION ROAD

WS15

TRENT

Ten Acre
Covert

P

TALBOT

KEYSTONE LA.

CHADWICK ST.
LAKESIDE
LAKESIDE VW.

LA.

ARCH ST.
SCAFFIELD ST.

4

own

h's
m.

Marlpits

BRERETON

ROAD

THE MOSSLEY

HATTIVE
CRESCENT

GEORGE BREALLY CL.
SPRINGFIELD

ARMITAGE

TRENT VIEW
CL.

THE AURELS
RAVENHILL TER.
SPRINGHILL
KELLY
COULTHWAITE
SUTTON
SETTERFIELD
MADDEN WY.
HARLEY
RISE WY.

ROAD

THORN CLOSE
GARDEN

TREE RD.
CL.
VEN
COW
CASTLE

SHW WY.
OAKTREE RD.
LARCH RD.
THE
BEECHES RD.
HEATH RD.
GREEN

RUGELEY

TRENT & MERSEY CANAL

Wks.

A513

Ravenhill
Rec. Grd.

WATERSIDE
BUSINESS PK.

LEA HALL
BUSINESS PK.

**Power
Station**

Cooling Towers

Rec. Grd.

Tennis
Court

EASTERN

Hemp
Holm

5

Sludge Beds

17

6

MAIN

ROAD

A51

Prim.
Sch.

TREE RD.
CHERRY

A51

REDBROOK LA.
INDUSTRIAL EST.

TALBOT RD.

RD.

BIRCH ST.

LODGE
WALNUT

Glover's Hill

Brereton

SYCAMORE GR.
ASHTREE
CL. RD.
OVERLAND
CL.

ROWLEY CL.

ST. MICHAELS

Wks.

LANE

ROAD

INSET

HUR EVANS

GASTREE
BANK

RIP.
RD.

BOATWAY CL.

THOMPSON CL.

RD.
BOATWAY RD.

LEIGH DR.
OAK

ROAD

THE SHRUBS.

Lea Hall
Cott.

BY-PASS

ROAD

A513

RUGELEY

Lea
Cottage

E F G 06 H

405
STILE

ROK

Wks.

BROOKE LA.

COWIE

SHAW CL.

HOBBS VW.

HOLLY BANK
VIEW VW.

Sub.

West Lodge

ROAD

INDEX TO STREETS

Including Industrial Estates and a selection of Subsidiary Addresses.

HOW TO USE THIS INDEX

1. Each street name is followed by its Posttown or Postal Locality and then by its map reference; e.g. Acton Hill Rd. *Act T* —5H **19** is in the Acton Trussell Postal Locality and is to be found in square 5H on page **19**. The page number being shown in bold type.
   A strict alphabetical order is followed in which Av., Rd., St., etc. (though abbreviated) are read in full and as part of the street name; e.g. Abbeyfields appears after Abbey Dri. but before Abbey St.

2. Streets and a selection of Subsidiary names not shown on the Maps, appear in the index in *Italics* with the thoroughfare to which it is connected shown in brackets; e.g. Bank Pas. *Staf* —2E **13** *(off Market Sq.)*

GENERAL ABBREVIATIONS

All : Alley
App : Approach
Arc : Arcade
Av : Avenue
Bk : Back
Boulevd : Boulevard
Bri : Bridge
B'way : Broadway
Bldgs : Buildings
Bus : Business
Cvn : Caravan
Cen : Centre
Chu : Church
Chyd : Churchyard
Circ : Circle
Cir : Circus
Clo : Close
Comn : Common

Cotts : Cottages
Ct : Court
Cres : Crescent
Cft : Croft
Dri : Drive
E : East
Embkmt : Embankment
Est : Estate
Fld : Field
Gdns : Gardens
Gth : Garth
Ga : Gate
Gt : Great
Grn : Green
Gro : Grove
Ho : House
Ind : Industrial
Junct : Junction

La : Lane
Lit : Little
Lwr : Lower
Mc : Mac
Mnr : Manor
Mans : Mansions
Mkt : Market
Mdw : Meadow
M : Mews
Mt : Mount
N : North
Pal : Palace
Pde : Parade
Pk : Park
Pas : Passage
Pl : Place
Quad : Quadrant
Res : Residential

Ri : Rise
Rd : Road
Shop : Shopping
S : South
Sq : Square
Sta : Station
St : Street
Ter : Terrace
Trad : Trading
Up : Upper
Va : Vale
Vw : View
Vs : Villas
Wlk : Walk
W : West
Yd : Yard

POSTTOWN AND POSTAL LOCALITY ABBREVIATIONS

Act T : Acton Trussell
Arm : Armitage
Aston : Aston
Ast I : Astonfields Ind. Est.
Bed : Bednall
Bre : Brereton
Broc : Brocton
Colw : Colwich
Copp : Coppenhall

Cot H : Cotes Heath
Cot C : Coton Clanford
Derr : Derrington
Ecc : Eccleshall
Gt Bri : Great Bridgeford
Gt Hay : Great Haywood
Hand : Handsacre
Hau : Haughton
Hixon : Hixon

Hopt : Hopton
Hyde L : Hyde Lea
Ing : Ingestre
L Hay : Little Haywood
Milf : Milford
Oul : Oulton
Penk : Penkridge
Ran : Ranton
Rug : Rugeley

Seigh : Seighford
Staf : Stafford
Stone : Stone
Stone B : Stone Bus. Pk.
Tix : Tixall
Walt : Walton
West : Weston

INDEX TO STREETS

Abbey Clo. *Penk* —3D **24**
Abbey Dri. *L Hay* —5F **17**
Abbeyfields. *Gt Hay* —3D **16**
Abbey St. *Stone* —3C **2**
Abbots Wlk. *Rug* —6B **22**
Abbots Wlk. *Staf* —6E **7**
Ablon Ct. *Penk* —4C **24**
Acton Hill Rd. *Act T* —5H **19**
Adies All. *Stone* —3C **2**
Airdale Gro. *Stone* —1D **2**
Airdale Rd. *Stone* —1D **2**
Airdale Spinney. *Stone* —1D **2**
Albany Dri. *Rug* —1C **22**
Albert St. *Stone* —2C **2**
Albert Ter. *Staf* —6E **7**
Albion St. *Rug* —3D **22**
Aldbury Clo. *Staf* —2D **6**
Alder Gro. *Staf* —6B **12**
Aldershaw Clo. *Staf* —2C **6**
Aldersleigh Dri. *Staf* —2A **20**
Aldrin Clo. *Staf* —6H **7**
Alexandra Rd. *Staf* —4E **13**
Alexandra St. *Stone* —2B **2**
Allen Birt Wlk. *Rug* —1C **22**
Allendale. *Staf* —3B **6**
Alliance St. *Staf* —6C **6**
Alliss Clo. *Staf* —1A **14**
Alma St. *Stone* —2B **2**
Alsop Crest. *Act T* —6H **19**
Alstone Clo. *Staf* —5B **6**
Altona Clo. *Stone* —4D **2**

Amblefield Way. *Staf* —2C **6**
Ambleside Clo. *Stone* —3F **3**
Ampleforth Dri. *Staf* —5H **13**
Aneurin Bevan Pl. *Rug* —2C **22**
Anson Dri. *Staf* —1D **20**
Anson M. *Rug* —3E **23**
Anson's Row. *L Hay* —5E **17**
Anson St. *Rug* —3D **22**
   (in two parts)
Antler Dri. *Rug* —2A **22**
Appledore Clo. *Staf* —5C **14**
Appleyard Ct. *Staf* —2E **13**
Arch St. *Rug* —4E **23**
Arden Clo. *Rug* —3B **22**
Ardingley Av. *Staf* —4H **13**
Armishaw Pl. *Rug* —6B **22**
Armitage Gdns. *Rug* —6G **23**
Armitage La. *Rug* —6B **22**
   (in two parts)
Armitage Rd. *Rug* —4E **23**
Armstrong Av. *Staf* —6G **7**
Arthur Evans Clo. *Rug* —6A **22**
Arthur St. *Stone* —1C **2**
Arthur Wood Pl. *Rug* —2C **22**
Ascot Rd. *Staf* —4A **14**
Ash Ct. *Penk* —4D **24**
Ashdale Clo. *Stone* —4C **2**
Ashdale Dri. *Staf* —3D **6**
Ash Dri. *Hau* —6D **10**
Ashflats La. *Staf* —4E **19**
Ashford Gro. *Stone* —4E **3**

Ashlands. *Hixon* —1H **17**
Ashleigh Rd. *Rug* —5D **22**
Ashley Clo. *Staf* —1A **12**
Ashridge Wlk. *Staf* —2D **6**
Ash Ri. *Staf* —3E **19**
Ash Rd. *Stone* —4D **2**
Ashtree Bank. *Rug* —6F **23**
Ashtree Clo. *L Hay* —5F **17**
Aspen Cft. *Staf* —5B **12**
Aston Bank. *Aston* —1G **11**
Aston Chase. *Stone* —3F **3**
Aston Clo. *L Hay* —5F **17**
Aston Clo. *Penk* —4D **24**
Astonfields Ind. Est. *Ast I* —5E **7**
   (in two parts)
Astonfields Rd. *Ast I* —5E **7**
Astonfields Rd. Bus. Pk. *Ast I*
   —5E **7**
Aston Hill. *Aston* —1G **11**
Aston Lodge Parkway. *Stone*
   —5F **3**
Aston Ter. *Staf* —5E **7**
Astoria Dri. *Staf* —1C **2**
Athelstan Clo. *Penk* —3D **24**
Attlee Cres. *Rug* —5E **23**
Attlee Cres. *Staf* —6C **12**
Auden Way. *Staf* —5C **12**
Augustine Clo. *Stone* —4E **3**
Austin Clo. *Stone* —4C **2**
Austin Friars. *Staf* —3E **13**
Avarne Pl. *Staf* —2E **13**

Avenue, The. *Stone* —2C **2**
Averill Clo. *Rug* —2C **22**
Averill Rd. *Staf* —5C **12**
Avon Clo. *Staf* —2H **13**
Avon Gro. *Stone* —5D **2**
Avon Hill. *Staf* —2A **14**
Avonlea Gdns. *Rug* —3B **22**
Avon Ri. *Staf* —2H **13**

Babbacombe Av. *Staf* —5C **14**
Bk. Browning St. *Staf* —1D **12**
Back La. *Hau* —5D **10**
Back La. *Hixon* —1H **17**
Back La. *L Hay* —5E **17**
Back La. *Rug* —3D **22**
Bk. Radfords. *Stone* —3C **2**
Badgers Cft. *Ecc* —1C **4**
Badgers Cft. *Staf* —1A **20**
Bagots Oak. *Staf* —6C **12**
Bailey St. *Staf* —3E **13**
Bakewell Dri. *Stone* —6F **3**
Balk Pas. *Staf* —2D **12**
Balmoral Clo. *Stone* —5D **2**
Balmoral Rd. *Staf* —4A **14**
Bank Pas. Staf —2E **13**
   (off Market Sq.)
Bank Side. *Stone* —5B **2**
Bank Top. *Rug* —3C **22**
Barker St. *Staf* —2C **12**
Barlaston Clo. *Staf* —3C **6**

Chilwell Av. *L Hay* —6G **17**
Christchurch Way. *Stone* —2C **2**
Christie Av. *Staf* —2C **12**
Christopher Ter. *Staf* —3G **13**
Church Clo. *Duns* —6F **19**
Church Clo. *Hau* —5C **10**
Church Clo. *Rug* —5B **22**
Church Clo. *Staf* —1F **19**
Church Clo. *Stone* —3D **2**
Church Cft. Gdns. *Rug* —2D **22**
Churchfield Clo. *Staf* —4A **14**
Churchfield Rd. *Ecc* —1A **4**
Church Gro. *Ecc* —1A **4**
Churchill Rd. *Stone* —4B **2**
Churchill Way. *Staf* —6F **7**
Church La. *Derr* —3G **11**
Church La. *Hixon* —2H **17**
Church La. *Oul* —1E **3**
Church La. *Rug* —2A **22**
  (nr. Mount Rd.)
Church La. *Rug* —3B **22**
  (nr. Woodcock Rd.)
Church La. *Staf* —2E **13**
Church M. *Rug* —3D **22**
Church Rd. *Hixon* —2H **17**
Church Rd. *Penk* —2B **24**
Church St. *Ecc* —1A **4**
Church St. *Rug* —3D **22**
Church St. *Stone* —3C **2**
Church Vw. *Rug* —6A **22**
Clanford Clo. *Staf* —2F **19**
Clanford La. *Cot C* —6C **4**
Claremont Clo. *Stone* —3D **2**
Claremont Gro. *Staf* —5B **12**
Claremont Rd. *Ecc* —2B **4**
Clarendon Dri. *Staf* —5B **12**
Clare Rd. *Staf* —4C **6**
Clark Cres. *Rug* —6C **22**
Clark St. *Staf* —2F **13**
Clay St. *Penk* —2B **24**
Clematis Clo. *Gt Bri* —1D **4**
Clement Clo. *Staf* —6F **7**
Clevedon Av. *Staf* —6B **14**
Cleveland Wlk. *Staf* —5B **12**
Cliff Rd. *Gt Hay* —3E **17**
Clifton Clo. *Staf* —2H **13**
Clifton Dri. *Staf* —2H **13**
Clinton Gdns. *Stone* —4C **2**
Close, The. *Staf* —4C **12**
  (ST16)
Close, The. *Staf* —2E **19**
  (ST17)
Cloverdale. *Staf* —6A **14**
Coach Ho. La. *Rug* —3D **22**
Coalpit La. *Rug* —6A **22**
Coalway Rd. *Rug* —6G **22**
Cocketts Nook. *Rug* —1B **22**
Coghlan Rd. *Staf* —5C **12**
Cole Dri. *Staf* —3C **12**
Coleridge Dri. *Staf* —5C **12**
Coley Gro. *L Hay* —5F **17**
Coley La. *L Hay* —5F **17**
Colton Rd. *Rug* —1D **22**
Colwich Cres. *Staf* —2A **14**
Commerce Dri. *Penk* —4B **24**
Common La. *Stone* —5A **2**
Common Rd. *Staf* —2E **7**
Common Rd. Ind. Est. *Staf* —3E **7**
  (in three parts)
Commonside Clo. *Staf* —5D **6**
Common Wlk. *Staf* —5D **6**
Compton Clo. *Staf* —3F **13**
Compton Rd. *Staf* —4B **14**
Congreve Clo. *Staf* —6D **14**
Conifer Gro. *Staf* —6B **12**
Coniston Clo. *Stone* —3F **3**
Coniston Rd. *Staf* —6C **14**
Convent Clo. *L Hay* —6F **17**
Conway Rd. *Staf* —1A **12**

Cooke Clo. *Penk* —1B **24**
Cook's Bank. *Act T* —6H **19**
Coombe Pk. Rd. *Stone* —6B **2**
Co-operative St. *Staf* —5D **6**
Cooper Clo. *Stone* —4F **3**
Copeland Dri. *Stone* —6F **3**
Cope St. *Staf* —2E **13**
Copper Glade. *Staf* —2H **13**
Coppice Brook. *Broc* —3G **21**
Coppice Gdns. *Stone* —2D **2**
Coppice La. *Rug* —6D **22**
Coppice Rd. *Rug* —6D **22**
Coppice Rd. *Stone* —2D **2**
Coppins, The. *Staf* —6A **14**
Cornwall Ct. *Rug* —6C **22**
Coronation Rd. *Staf* —4F **7**
Corporation St. *Staf* —6E **7**
Corran Rd. *Staf* —1D **18**
Coton Av. *Staf* —1H **13**
Coton La. *Ran* —1A **10**
Cotters Hill Clo. *L Hay* —5F **17**
Coulthwaite Way. *Rug* —6E **23**
County Rd. *Staf* —1E **13**
Coventry Ct. *Staf* —6A **6**
Covert Clo. *Gt Hay* —3D **16**
Cowan Dri. *Staf* —1G **13**
Cowley Clo. *Penk* —4C **24**
Cowley Clo. *Staf* —5C **12**
Cowlishaw Way. *Rug* —6E **23**
Crabbery St. *Staf* —2E **13**
Crab La. *Staf* —4B **6**
Crabtree Way. *Rug* —3B **22**
Craddock Rd. *Staf* —4C **6**
Craftdown Clo. *Staf* —3F **19**
Cramer St. *Staf* —3E **13**
Cranberry Clo. *Staf* —5A **6**
Cranbrook Wlk. *Staf* —5B **12**
Cranmore Gro. *Stone* —4E **3**
Cremorne Dri. *Staf* —6B **14**
Crescent Rd. *Staf* —4D **12**
Crescent, The. *Ecc* —2A **4**
Crescent, The. *Staf* —1B **12**
Crescent, The. *Stone* —2C **2**
Crescent, The. *Walt* —6D **14**
Crestwood Dri. *Stone* —5B **2**
Crestwood Ri. *Rug* —1B **22**
Creswell Ct. *Staf* —5C **6**
Creswell Dri. *Staf* —3H **5**
Creswell Farm Dri. *Staf* —4B **6**
Creswell Gro. *Staf* —2H **5**
Crinan Gro. *Staf* —1C **18**
Crispin Clo. *Staf* —3C **6**
Croft Rd. *Stone* —5B **2**
Croft, The. *Hixon* —2H **17**
Crompton Clo. *L Hay* —5G **17**
Crompton Rd. *Stone* —4D **2**
Cromwell Clo. *Hopt* —3B **8**
Crooked Bri. Rd. *Staf* —1E **13**
Cross Butts. *Ecc* —2A **4**
Crossing La. *Derr* —3E **11**
Crossley Stone. *Rug* —3D **22**
Cross Rd. *Rug* —5D **22**
Cross St. *Staf* —6D **6**
Cross St. *Stone* —2C **2**
Crossway. *Staf* —2G **13**
Crown Bri. *Penk* —2B **24**
Crown St. *Stone* —3C **2**
Croydon Dri. *Penk* —2B **24**
Cull Av. *Staf* —2G **13**
Cumbers, The. *Seigh* —4D **4**
Curzon Pl. *Rug* —5D **22**
Cypress Clo. *Staf* —4A **14**

Daffodil Wlk. *Rug* —3B **22**
Daimler Clo. *Staf* —5G **13**
Dale La. *Hau* —4D **10**
Danby Crest. *Staf* —5A **12**
Danta Way. *Staf* —4A **14**

Darnford Clo. *Staf* —3C **6**
Dart Av. *Staf* —5B **12**
Dartmouth St. *Staf* —2G **13**
Darwin Clo. *Staf* —1A **14**
Daurada Dri. *Staf* —5G **13**
Davis Clo. *Staf* —1G **13**
Davy Pl. *Rug* —6C **22**
Dawlish Av. *Staf* —6B **14**
Dayton Dri. *Rug* —2B **22**
Daywell Ri. *Rug* —1B **22**
Deacon Way. *Rug* —2E **23**
Deanery Clo. *Rug* —2D **22**
Deanshill Clo. *Staf* —3C **12**
Dearnsdale Clo. *Staf* —4B **6**
Deepdales. *Staf* —1A **20**
Deer Hill. *Broc* —3G **21**
Deerleap Way. *Rug* —3B **22**
Delafield Way. *Rug* —2B **22**
Delamere La. *Staf* —5A **12**
Dell Clo. *Staf* —3B **6**
Dene Clo. *Penk* —3C **24**
Denefield. *Penk* —3C **24**
Denstone Av. *Staf* —4H **13**
Denver Fold. *Staf* —5A **12**
Denzil Grn. *Staf* —5A **12**
Derby St. *Staf* —2D **12**
Derrington La. *Derr* —4G **11**
Derwent Av. *Stone* —3F **3**
Derwick Ind. Est. *Broc* —4D **20**
Devall Clo. *Rug* —5D **22**
Devonshire Dri. *Rug* —6C **22**
Devon Way. *Staf* —1D **18**
De-Wint Rd. *Stone* —4D **2**
Dexton Ri. *Staf* —5A **12**
Diamond Way. *Stone B* —6D **2**
Dickson Rd. *Staf* —6G **7**
Dobree Clo. *Colw* —6G **17**
Dolphin Clo. *Staf* —4A **14**
Dominic St. *Stone* —2C **2**
Dorrington Dri. *Staf* —5E **7**
Dorrington Ind. Pk. *Staf* —5D **6**
Douglas Rd. *Staf* —6G **7**
Doulton Rd. *Staf* —3H **7**
Dove Clo. *Staf* —1F **19**
Downderry Clo. *Staf* —5A **12**
Downfield Gro. *Staf* —3D **6**
Downing Gdns. *Stone* —4C **2**
Downs, The. *Staf* —6A **14**
Doxey Fields. *Staf* —1H **11**
Doxey Rd. *Staf* —1H **11**
Dreieich Clo. *Staf* —6F **7**
Drive, The. *Staf* —1B **12**
Druids Way. *Penk* —4C **24**
Drummond Rd. *Ast I* —5E **7**
Dryburgh Clo. *Staf* —6B **12**
Dryden Cres. *Staf* —4C **12**
Duce M. *Staf* —4A **14**
Dunster Clo. *Staf* —6B **12**
Durham Dri. *Rug* —6C **22**
Dutton Way. *Stone* —6B **2**

Eagle Cres. *Ecc* —2A **4**
Earl St. *Staf* —2E **13**
Earlsway. *Gt Hay* —3E **17**
Easby Clo. *Staf* —6B **12**
E. Butts Rd. *Rug* —3A **22**
East Clo. *Stone* —4B **2**
Eastgate St. *Staf* —2E **13**
Eastlands. *Staf* —5E **13**
Eastlands Clo. *Staf* —5E **13**
Eastlands Gro. *Staf* —5E **13**
Eccleshall Rd. *Gt Bri* —1E **5**
Eccleshall Rd. *Staf* —4A **6**
Eccleshall Rd. *Stone* —6A **2**
Edison Rd. *Staf* —6F **7**
Edmund Av. *Staf* —4B **12**
Edwards Clo. *Rug* —3D **22**
Edwards Dri. *Staf* —2C **12**

Edward St. *Stone* —2B **2**
Edwin Clo. *Penk* —3C **24**
Edwin Clo. *Staf* —5B **12**
Eggington Dri. *Penk* —4C **24**
Egg La. *Hixon* —2H **17**
Elford Clo. *Staf* —3C **6**
Eliot Way. *Staf* —4C **12**
Ellington Av. *Staf* —1H **13**
Elm Av. *Staf* —1D **20**
Elm Clo. *Gt Hay* —3D **16**
Elm Ct. *Hyde L* —2C **18**
Elm Cres. *Hixon* —2G **17**
Elmdon Clo. *Penk* —3D **24**
Elmhurst Clo. *Staf* —3C **6**
Elmore La. *Rug* —4D **22**
Elm Rd. *Stone* —3D **2**
Elmstone Clo. *Staf* —2C **20**
Elm Wlk. *Penk* —3A **24**
Elsdon Rd. *Staf* —1C **18**
Elworthy Clo. *Staf* —6G **7**
Embry Av. *Staf* —6C **12**
Emerald Way. *Stone B* —6D **2**
Epsom Dri. *Staf* —6A **14**
Ernald Gdns. *Stone* —4C **2**
Espley's Yd. *Staf* —3E **13**
Essex Dri. *Gt Hay* —2D **16**
Essex Dri. *Rug* —6C **22**
Essex Dri. *Stone* —6B **2**
Etching Hill Rd. *Rug* —3A **22**
Eton Clo. *Staf* —4H **13**
Exeter St. *Staf* —5F **13**

Fairfield Ct. *Staf* —5F **7**
Fairmead Clo. *Staf* —1A **20**
Fairmount Way. *Rug* —3B **22**
Fairoak Av. *Staf* —3C **6**
Fairview Way. *Staf* —5A **14**
Fairway. *Staf* —2G **13**
Fallowfield. *Staf* —1A **20**
Fallowfield Clo. *Penk* —3B **24**
Fallowfield Clo. *Stone* —5E **3**
Falmouth Av. *Staf* —5C **14**
Falmouth Clo. *Staf* —5C **14**
Fancy Wlk. *Staf* —6D **6**
Faraday Rd. *Staf* —6F **7**
Farley La. *Gt Hay* —1E **17**
Farm Clo. *Rug* —2B **22**
Farmdown Rd. *Staf* —4A **14**
Farrier Clo. *Stone* —4F **3**
Featherbed La. *Hixon* —2H **17**
Felden Clo. *Staf* —2D **6**
Fellfield Way. *Staf* —3D **6**
Fennel Dri. *Staf* —2F **19**
Ferncombe Dri. *Rug* —2B **22**
Fern Dri. *Staf* —1A **12**
Fernhurst Clo. *Stone* —4E **3**
Fernie Clo. *Stone* —5E **3**
Fernleigh Gdns. *Staf* —6A **6**
Fernwood. *Staf* —4D **6**
Fernwood Cen., The. *Rug*
  —2C **22**
Fernwood Dri. *Rug* —2C **22**
Ferrers Rd. *West* —1H **9**
Field Cres. *Derr* —3F **11**
Field Ho. Ct. *Stone* —1B **2**
Field Pl. *Rug* —5A **22**
Field Pl. *Staf* —5E **7**
Fieldside. *Staf* —2B **20**
Fieldsway. *Stone* —3A **2**
Field Ter. *Stone* —2C **2**
Filance Clo. *Penk* —4C **24**
Filance La. *Penk* —4C **24**
Fillybrooks Clo. *Stone* —3B **2**
Fillybrooks, The. *Stone* —1A **2**
Finches Hill. *Rug* —2B **22**
Firbeck Gdns. *Staf* —6A **14**
Firs Clo., The. *Staf* —1B **20**
First Av. *Staf* —3C **6**

Firtree Clo.—Jubilee Ct.

Firtree Clo. *Copp* —4C **18**
Flax Cft. *Stone* —4D **2**
Flaxley Rd. *Rug* —6C **22**
Flax Ovens, The. *Penk* —1B **24**
Fonthil Rd. *Staf* —5F **7**
Ford Clo. *Stone* —4C **2**
Foregate Ct. *Staf* —1E **13**
Foregate St. *Staf* —1D **12**
Forest Clo. *L Hay* —5F **17**
Forge M. *Rug* —4E **23**
Forge Rd. *Rug* —4E **23**
Forrester Rd. *Stone* —4D **2**
Fortescue La. *Rug* —2D **22**
Foxcote Clo. *Staf* —2C **20**
Foxglove Clo. *Rug* —3B **22**
Foxgloves Av. *L Hay* —6F **17**
Fox Hollow. *Ecc* —2C **4**
Foxwood Clo. *Stone* —5A **2**
Francis Clo. *Penk* —3D **24**
Francis Grn. La. *Penk* —2C **24**
Frank Gee Clo. *Rug* —3C **22**
Frank Rogers Wlk. *Rug* —2C **22**
Fraser Clo. *Stone* —6B **2**
Frederick Rd. *Penk* —2C **24**
Freemen St. *Staf* —6E **7**
Frew Clo. *Staf* —1G **13**
Friars Av. *Stone* —4B **2**
Friars' Rd. *Staf* —3E **13**
Friars' Ter. *Staf* —3E **13**
Friar St. *Staf* —6D **6**
Friars' Wlk. *Staf* —3E **13**
Frinton Clo. *Staf* —5F **7**
Fullmore Clo. *Penk* —4C **24**
Furlong Clo. *West* —1G **9**
Furness Gro. *Staf* —6B **12**

Gaol Butts. *Ecc* —2A **4**
Gaolgate St. *Staf* —2E **13**
Gaol Rd. *Staf* —1E **13**
Gaol Sq. *Staf* —1E **13**
Garden Dri. *Rug* —5E **23**
Garden Pl. *Staf* —3F **13**
Garden St. *Staf* —3E **13**
Garden Vw. *Rug* —3C **22**
Garrick Ri. *Rug* —6G **23**
Garrod Sq. *Staf* —6H **7**
Garth Clo. *Staf* —2E **19**
Garth Rd. *Staf* —2F **19**
George Bailey Ct. *Staf* —4F **13**
George Brealey Clo. *Rug* —5E **23**
George La. *Stone* —4F **3**
George St. *Staf* —6D **6**
Gillingham Cres. *Staf* —3B **12**
Glade, The. *Staf* —5H **13**
Gladstone Way. *Staf* —6A **8**
Glamis Dri. *Stone* —6E **3**
Glastonbury Clo. *Staf* —1B **20**
Glebe Av. *Staf* —5D **6**
Glebelands. *Staf* —1F **19**
Glebelands Ct. *Staf* —2F **19**
Gleneagles Dri. *Staf* —2A **14**
Glenhaven. *Rug* —2B **22**
Glen, The. *Stone* —4C **2**
Glenthorne Clo. *Staf* —2B **20**
Globe Av. *Staf* —1F **19**
Glover St. *Staf* —1D **12**
Goodill Clo. *Stone* —6B **2**
Goods Sta. La. *Penk* —1B **24**
Gordon Av. *Staf* —4C **6**
Gorsebrook Leys. *Staf* —6A **6**
Gorseburn Way. *Rug* —2B **22**
Gorse La. *Rug* —6E **23**
Gorse Rd. *Rug* —6E **23**
Gorsley Dale. *Staf* —1A **20**
Gorsty La. *Cot C* —2C **10**
Gough Clo. *Staf* —3C **6**
Gower Rd. *Stone* —4D **2**
Grange Av. *Penk* —4B **24**

Grange Cres. *Penk* —4A **24**
Grange Rd. *Penk* —4B **24**
Grange Rd. *Stone* —4E **3**
Grange, The. *Hyde L* —2C **18**
Granville Sq. *Stone* —2C **2**
Granville Ter. *Stone* —2C **2**
Grassmere Hollow. *Staf* —6H **5**
Grassy La. *Hau* —5D **10**
Gravel La. *Staf* —3F **19**
Gray Wlk. *Staf* —6C **12**
Greenacres. *Rug* —5C **22**
Green Clo. *Stone* —4B **2**
Greenfield Rd. *Staf* —1B **20**
Greenfields Dri. *Rug* —3C **22**
Greenfields Rd. *Hixon* —1H **17**
Greengate St. *Staf* —2E **13**
 (in two parts)
Green Gore La. *Staf* —6D **14**
Green La. *Derr* —4B **10**
Green La. *Ecc* —2B **4**
Green La. *Hyde L* —3C **18**
Green La. *Rug* —2B **22**
Green Pk. *Ecc* —2B **4**
Green Rd. *West* —1G **9**
Greensome Clo. *Staf* —6A **6**
Greensome Ct. *Staf* —1A **12**
Greensome Cres. *Staf* —6A **6**
Greensome La. *Staf* —6A **6**
Green, The. *Broc* —4F **21**
Green, The. *Milf* —6G **15**
Green, The. *Rug* —6F **23**
Green, The. *West* —1H **9**
Greenway. *Ecc* —2B **4**
Greenway. *Staf* —2G **13**
Greenway Av. *Stone* —5C **2**
Greenways. *Hyde L* —2C **18**
Greenways. *Penk* —3D **24**
Greenwood Gro. *Staf* —6C **12**
Greville Clo. *Penk* —3C **24**
Grey Friars. *Staf* —6D **6**
Greyfriars Bus. Pk. *Staf* —1D **12**
Grey Friars' Pl. *Staf* —6D **6**
Grey Friars Way. *Staf* —1D **12**
Greylarch La. *Staf* —1A **20**
Griffiths Way. *Stone* —5F **3**
Grindcobbe Gro. *Rug* —1C **22**
Grissom Clo. *Staf* —6G **7**
Grocott Clo. *Penk* —1B **24**
Grosvenor Clo. *Penk* —2C **24**
Grosvenor Way. *Staf* —1C **20**
Grove Rd. *Stone* —3A **2**
Guildhall Shop. Cen. *Staf* —2E **13**
Gunnell Clo. *Staf* —3C **12**

Haddon Pl. *Stone* —4F **3**
Hagley Dri. *Rug* —3C **22**
Hagley Pk. Gdns. *Rug* —5C **22**
Hagley Rd. *Rug* —3C **22**
Haling Clo. *Penk* —3C **24**
Haling Rd. *Penk* —2C **24**
Hallahan Clo. *Stone* —5E **3**
Hall Clo. *Staf* —6G **13**
Hambridge Clo. *Staf* —6D **12**
Hammonds Clo. *Hixon* —2H **17**
Hampton Clo. *Rug* —1C **22**
Hanyards La. *Tix* —2C **14**
Harcourt Way. *Staf* —4B **6**
Hardie Av. *Rug* —5D **22**
Hardy Rd. *Staf* —5B **12**
Hargreaves La. *Staf* —4D **12**
Harland Clo. *L Hay* —5F **17**
Harley Clo. *Rug* —6E **23**
Harley Rd. *Rug* —2E **23**
Harmony Grn. *Staf* —5B **12**
Harney Ct. *Rug* —1C **22**
Harris Rd. *Staf* —1H **13**
Harrowby St. *Staf* —2G **13**
Harrow Pl. *Stone* —4E **3**

Hartland Av. *Staf* —6C **14**
Hartlands Rd. *Ecc* —1B **4**
Hartsbourne Way. *Staf* —6A **14**
Hartwell Gro. *Staf* —4A **6**
Hatherton Rd. *Penk* —2C **24**
Hatherton St. *Staf* —2G **13**
Hawke Rd. *Staf* —4C **6**
Hawkesmore Dri. *L Hay* —6F **17**
Hawksmoor Rd. *Staf* —6E **13**
Hawley Clo. *Stone* —6F **3**
Hawthorn Av. *Stone* —6B **2**
Hawthorn Clo. *Gt Bri* —1D **4**
Hawthorn Clo. *Hau* —5C **10**
Hawthorn Way. *Rug* —3C **22**
Hawthorn Way. *Staf* —4G **13**
Haybarn, The. *Staf* —4F **7**
Haywood Grange. *L Hay* —6F **17**
Haywood Heights. *L Hay* —4F **17**
Hazeldene. *Gt Hay* —3E **17**
Hazel Gro. *Staf* —3C **6**
Hazlestrine La. *Staf* —2A **20**
Hazleton Grn. *Staf* —1D **18**
Hearn Ct. *Staf* —6D **12**
Heath Dri. *Staf* —4B **6**
Heather Clo. *Broc* —4G **21**
Heather Clo. *Gt Bri* —1E **5**
Heather Clo. *Rug* —6E **23**
Heather Hill. *Broc* —3F **21**
Heathfield Av. *Stone* —4C **2**
Heath Gdns. *Stone* —5B **2**
Heath Rd. *Rug* —6E **23**
Heath Ter. *Ecc* —2A **4**
Hednesford Rd. *Rug* —6C **22**
Heenan Gro. *Staf* —2E **19**
Helen Sharman Dri. *Staf* —6G **7**
Helford Gro. *Staf* —5B **12**
Hempbutts, The. *Stone* —3D **2**
Hempits, The. *Act T* —6H **19**
Henley Grange. *Rug* —3A **22**
Henney Clo. *Penk* —4C **24**
Henry St. *Staf* —5F **7**
Herbert Rd. *Staf* —4E **13**
Herons Clo. *Staf* —6A **14**
Heron St. *Rug* —4E **23**
Heronswood. *Staf* —6A **14**
Hesketh Rd. *Staf* —1D **18**
High Chase Ri. *L Hay* —5F **17**
High Falls. *Rug* —5D **22**
Highfield Clo. *Act T* —6H **19**
Highfield Dri. *L Hay* —5F **17**
Highfield Gro. *Staf* —6D **12**
Highfield Rd. *Hixon* —2H **17**
Highgrove. *Stone* —6E **3**
Highlands. *Staf* —5D **12**
Highlands. *Stone* —6B **2**
Highland Way. *Rug* —1B **22**
High Pk. *Staf* —4C **12**
High St. *Ecc* —1A **4**
High St. *Hixon* —2H **17**
High St. *Stone* —3C **2**
Hilcote Hollow. *Staf* —5B **6**
Hillary Crest. *Rug* —6D **22**
Hill Cres. *Stone* —5C **2**
Hill Crest. *Staf* —5C **12**
Hill Cft. *Hixon* —2H **17**
Hillcroft Av. *Staf* —6C **14**
Hill Dri. *Stone* —5C **2**
Hillfarm Clo. *Staf* —2F **19**
Hillside. *Ecc* —2B **4**
Hillside Clo. *Rug* —6B **22**
Hillside Dri. *L Hay* —5F **17**
Hill St. *Rug* —4D **22**
Hilltop. *Rug* —5E **23**
Hillway Clo. *Rug* —3C **22**
Hinton Clo. *Staf* —1F **19**
Hislop Rd. *Rug* —6D **22**
Hixon Airfield Est. *Hixon* —1G **17**
Hixon Airfield Ind. Est. *Hixon*
—1G **17**

Hixon Ind. Est. *Hixon* —2G **17**
Hobbs Vw. *Rug* —6B **22**
Hogan Way. *Staf* —1A **14**
Holbeach Way. *Staf* —1B **12**
Holdiford Rd. *Milf* —6H **15**
Hollins Bus. Cen. *Staf* —6D **6**
 (off Rowley St.)
Holly Bank Vw. *Rug* —6B **22**
Holly Dri. *Staf* —1D **20**
Holly Gro. *Stone* —4D **2**
Hollyhurst. *Staf* —2B **20**
Holly La. *Hau* —4A **10**
Holly Lodge Clo. *Rug* —4D **22**
Holmcroft Rd. *Staf* —5C **6**
Holme Ri. *Penk* —2D **24**
Holmes Clo. *Staf* —3B **12**
Holyoake Pl. *Rug* —1C **22**
Holyrood Clo. *Stone* —6E **3**
Homestead Ct. *Staf* —4E **7**
Honiton Clo. *Staf* —5C **14**
Hoomill La. *Gt Hay* —1C **16**
Hopton Bank. *Hopt* —2A **8**
Hopton Ct. *Staf* —6D **6**
Hoptonhall La. *Hopt* —2A **8**
Hopton La. *Hopt* —2H **7**
Hopton St. *Staf* —5F **7**
Hornscroft. *Rug* —5A **22**
Horse Fair. *Ecc* —1B **4**
Horse Fair. *Rug* —4D **22**
Horseshoe Dri. *Rug* —3A **22**
Hoskins Clo. *Stone* —4E **3**
Howard Rd. *Staf* —6E **13**
Hunters Ride. *Staf* —3E **19**
Huntsmans Wlk. *Rug* —3B **22**
Hurlingham Rd. *Staf* —4B **6**
Hurstbourne Clo. *Rug* —2B **22**
 (off Lansdowne Way)
Hurstmead Dri. *Staf* —2A **20**
Hussey Clo. *Penk* —4C **24**
Hutchinson Clo. *Rug* —2A **22**
Hyde Ct. *Staf* —6D **12**
Hyde Lea Bank. *Hyde L* —2C **18**

Ingestre Rd. *Staf* —4E **13**
Inglemere Dri. *Staf* —1A **20**
Ingleside. *Rug* —3B **22**
Inglewood. *Staf* —4D **12**
Isabel Clo. *Staf* —5B **12**
Island Grn. *Staf* —1B **20**
Ivy Clo. *Act T* —6H **19**
Ivy Cottage Mobile Home Pk.
Hopt —1B **8**
Ivy Ct. *Act T* —6G **19**
Ivy Ct. *Hixon* —2G **17**
Izaak Walton Clo. *Staf* —5D **6**
Izaak Walton St. *Staf* —6D **6**
Izaak Walton Wlk. *Staf* —3D **12**

James Warner Clo. *Rug* —3C **22**
Jasmine Rd. *Gt Bri* —1D **4**
Jeffery Clo. *Rug* —1C **22**
Jerningham St. *Staf* —2D **12**
Jervis Rd. *Stone* —4D **2**
John Amery Dri. *Staf* —1D **18**
John Ball Clo. *Rug* —1C **22**
John Donne St. *Staf* —5D **6**
Johnson Clo. *Rug* —2C **22**
Johnson Gro. *Stone* —5F **3**
John St. *Staf* —1G **13**
John Till Clo. *Rug* —3D **22**
Jolt La. *Hau* —6C **10**
Jones Clo. *Staf* —6D **12**
Jones La. *Rug* —4B **22**
Jordan Way. *Stone* —4D **2**
Joseph Dix Dri. *Rug* —2C **22**
Joyce's La. *Bed H* —6E **21**
Jubilee Ct. *Staf* —6F **7**

Jubilee St. *Rug* —3C **22**
Jupiter Way. *Staf* —5G **13**

Keats Av. *Staf* —6C **12**
Keld Av. *Staf* —5A **12**
Kelly Av. *Rug* —6E **23**
Kelvedon Way. *Rug* —3B **22**
Kempson Rd. *Penk* —2C **24**
Kendal Clo. *Staf* —6B **12**
Kenilworth Clo. *Penk* —3D **24**
Kennedy Way. *Staf* —3B **6**
Kensington Clo. *Stone* —6E **3**
Kent Gro. *Stone* —1B **2**
Kentish Clo. *Staf* —5A **12**
Kentmere Clo. *Penk* —2D **24**
Kentmere Clo. *Staf* —6B **12**
Kent Way. *Staf* —5H **13**
Kenworthy Rd. *Staf* —5E **7**
Kerry La. *Ecc* —2A **4**
Kestrel Clo. *Staf* —4A **14**
Keswick Gro. *Staf* —5A **12**
Keystone La. *Rug* —4E **23**
Keystone Rd. *Rug* —4E **23**
Kimberley Way. *Rug* —6A **22**
Kimberley Way. *Staf* —5A **12**
Kingcup Rd. *Staf* —2E **19**
Kingfisher Dri. *L Hay* —5G **17**
Kingfisher Wlk. *Penk* —3C **24**
King's Av. *Stone* —2B **2**
Kings Dri. *Hopt* —3B **8**
Kingsland Clo. *Stone* —4E **3**
Kingsland Ct. *Stone* —4E **3**
 (off Kingsland Rd.)
Kingsland Rd. *Stone* —4E **3**
Kingsley Clo. *Staf* —5E **13**
Kingsley Rd. *Staf* —5E **13**
Kingston Av. *Staf* —1H **13**
Kingston Cen., The. *Staf* —2G **13**
Kingston Dri. *Stone* —5D **2**
Kingston Hill Ct. *Staf* —2A **14**
King St. *Rug* —4E **23**
Kingsway. *Staf* —3C **12**
Kirkstall Av. *Staf* —6B **12**
Kitlings La. *Staf* —6D **14**
Knight Av. *Staf* —1G **13**
Knights Clo. *Penk* —4C **24**
Knowle Rd. *Staf* —1B **20**

Laburnum Clo. *Gt Bri* —1D **4**
Lakeside Vw. *Arm* —4E **23**
Lamb La. *Stone* —5B **2**
Lammascote Rd. *Staf* —2F **13**
Lancaster Rd. *Staf* —5G **13**
Lancing Av. *Staf* —5H **13**
Lander Clo. *Stone* —3F **3**
Landor Cres. *Rug* —6D **22**
Landstone Rd. *Staf* —5G **13**
Lanehead Wlk. *Rug* —2B **22**
Lane, The. *Copp* —4B **18**
Lanrick Gdns. *Rug* —2D **22**
Lansbury Clo. *Staf* —5E **13**
Lansbury Rd. *Rug* —6D **22**
Lansdowne Clo. *Stone* —6B **2**
Lansdowne Way. *Rug* —2B **22**
Lansdowne Way. *Staf* —1A **20**
Lapley Av. *Staf* —4A **6**
Lara Clo. *Staf* —2B **12**
Larchfields. *Stone* —5D **2**
Larch Rd. *Rug* —6E **23**
Larchwood. *Staf* —2A **20**
Larkholme Clo. *Rug* —3A **22**
Larkin Clo. *Staf* —6C **12**
Larksmeadow Va. *Staf* —1A **20**
Laurel Gro. *Staf* —6F **13**
Laurels, The. *Rug* —5E **23**
Lavender Clo. *Gt Bri* —1E **5**
Lawn Rd. *Staf* —4D **12**

Lawnsfield Wlk. *Staf* —2C **6**
Lawn, The. *Staf* —1E **19**
Lawrence St. *Staf* —4E **13**
Lazar La. *Milf* —1F **21**
Lea Cres. *Staf* —6D **12**
Leacroft. *Stone* —4F **3**
Leacroft Rd. *Penk* —1C **24**
Lea Grn. *Staf* —3C **6**
Lea Hall Bus. Pk. *Rug* —6G **23**
Lea Hall La. *Rug* —6B **22**
Leahurst Clo. *Staf* —1A **20**
Lea Rd. *Hixon* —1H **17**
Lea Rd. *Stone* —5B **2**
Leasawe Clo. *Gt Hay* —3E **17**
Leasowe Rd. *Rug* —6A **22**
Leathermill La. *Rug* —3E **23**
Lees Clo. *Rug* —6B **22**
Legge La. *Hixon* —1H **17**
Leigh Clo. *Staf* —2F **19**
Leighswood. *Staf* —6A **14**
Lema Way. *Hixon* —2H **13**
Lesse La. *Act T* —6H **19**
Letheridge Gdns. *Staf* —5A **12**
Levedale Clo. *Staf* —4A **6**
Levedale Rd. *Penk* —1A **24**
Levels Ind. Est., The. *Rug*
 —6A **22**
Levels, The. *Rug* —6A **22**
Lexington Gro. *Staf* —5A **12**
Leyland Dri. *Rug* —2D **22**
Liberty Pk. *Staf* —5A **12**
Lichfield Ct. *Staf* —3F **13**
Lichfield Dri. *Gt Hay* —4D **16**
Lichfield Rd. *Staf* —3E **13**
Lichfield Rd. *Stone* —3D **2**
Lichfield St. *Rug* —4E **23**
Lichfield St. *Stone* —3C **2**
Lilac Clo. *Gt Bri* —1E **5**
Lilac Gro. *Staf* —6F **13**
Lilleshall Way. *Staf* —6B **12**
Limedale Ct. *Stone* —2B **2**
Lime Tree Av. *Staf* —6D **6**
Lime Wlk. *Penk* —3B **24**
Linacre Rd. *Ecc* —2B **4**
Lincoln Mdw. *Staf* —5A **12**
Lindenbrook Va. *Staf* —6A **14**
Linden Clo. *Staf* —5B **12**
Lindens, The. *Stone* —6D **2**
Lineker Rd. *Staf* —2B **12**
Linksfield Gro. *Staf* —3D **6**
Lion St. *Rug* —3D **22**
Lion Way. *Staf* —5G **13**
Lister Rd. *Staf* —6F **7**
Lit. Marsh Gro. *Penk* —2C **24**
Lit. Orchard Gdns. *Rug* —2D **22**
Lit. Tixall La. *Gt Hay* —3D **16**
Littleton Clo. *Staf* —1G **13**
Littleton Cres. *Penk* —2C **24**
Lloyd St. *Staf* —1E **13**
Locke Way. *Staf* —2H **13**
Lock Rd. *Penk* —3C **24**
Lodge Rd. *Rug* —6F **23**
London Rd. *West* —1H **9**
Longfield Av. *Stone* —4B **2**
Longhope Dri. *Stone* —4B **2**
Longhurst Dri. *Staf* —1H **13**
Long La. *Hau* —4A **10**
Long Mdw. *Staf* —3E **19**
Longshore Clo. *Staf* —1C **18**
Longton Rd. *Stone* —2C **2**
Lotus Clo. *Stone* —1C **2**
Lovatt St. *Staf* —6D **6**
Lovelace Clo. *Staf* —5C **12**
Love La. *Rug* —3E **23**
Love La. *Seigh* —3E **5**
 (in two parts)
Lovell Dri. *Staf* —6H **7**
Lovett Ct. *Rug* —2C **22**
Lwr. Brook St. *Rug* —3D **22**

Lwr. Penkridge Rd. *Act T* —6H **19**
Loynton Clo. *Staf* —4B **6**
Lymington Rd. *Staf* —1A **14**
Lyndhurst Gro. *Stone* —5F **3**
Lyne Hill Ind. Est. *Penk* —4B **24**
Lyne Hill La. *Penk* —5A **24**
Lynton Av. *Staf* —6B **14**
Lyric Clo. *Staf* —1F **19**
Lytham Dri. *Staf* —2A **14**

McKie Way. *Rug* —6E **23**
Madden Clo. *Rug* —6E **23**
Magnolia Clo. *Gt Bri* —1D **4**
Main Rd. *Gt Hay* —3D **16**
Main Rd. *Milf* —6E **15**
Main Rd. *Rug* —6F **23**
Malcolm Rd. *Staf* —1D **18**
Mallard Av. *Staf* —4G **13**
Mallory Clo. *Stone* —5D **2**
Mallow Clo. *Ecc* —3A **4**
Malt Mill La. *Staf* —2E **13**
Malvern Clo. *Staf* —4H **13**
Malvern Dri. *Rug* —2B **22**
Manor Clo. *Gt Hay* —3D **16**
Manor Clo. *West* —1H **9**
Manor Farm Cres. *L Hay* —5F **17**
Manor Grn. *Staf* —6D **12**
Manor Ri. *Stone* —4B **2**
Manor Sq. *Staf* —6D **12**
Mansell Clo. *Staf* —3C **12**
Manston Hill. *Penk* —4B **24**
Mapledene Clo. *Staf* —2B **20**
Maple Dri. *Derr* —3F **11**
Maple Gdns. *Stone* —5C **2**
Maple Gro. *Staf* —6E **13**
Maple Wood. *Staf* —2A **20**
March Banks. *Rug* —3C **22**
Margaret St. *Stone* —2B **2**
Marketfields. *Ecc* —1B **4**
Market Pl. *Penk* —2B **24**
Market Pl. *Stone* —3C **2**
Market Sq. *Rug* —3D **22**
Market Sq. *Staf* —2E **13**
Market St. *Penk* —2B **24**
Market St. *Rug* —3E **23**
Market St. *Staf* —2E **13**
Marlborough Av. *Staf* —1A **14**
Marlborough Clo. *Gt Hay*
 —3E **17**
Marlborough Rd. *Stone* —6B **2**
Marlowe Rd. *Staf* —5B **12**
Marsh Ct. *Staf* —6D **6**
Marsh La. *Penk* —2C **24**
Marsh St. *Staf* —6D **6**
Marsland Clo. *Staf* —1A **12**
Marsland Rd. *Staf* —1A **12**
Marston Cr. *Staf* —6E **7**
Marston Dri. *Staf* —6E **7**
Marston Ho. *Staf* —6E **7**
Marston La. *Mars* —1E **7**
Marston Rd. *Staf* —6E **7**
Marston Rd. Trad. Pk. *Staf*
 —6E **7**
Marsworth Way. *Staf* —2D **6**
Martindale. *Staf* —1B **20**
Martin Dri. *Staf* —2C **12**
Martin St. *Staf* —2E **13**
Martins Way. *Hixon* —2H **17**
Mary Rand Clo. *Staf* —5D **12**
Mary's Lodge. *Staf* —2D **6**
Masefield Dri. *Staf* —5C **12**
Matthews Rd. *Staf* —6C **12**
Mayfield Av. *Penk* —3B **24**
Mayfield Rd. *Staf* —4A **14**
Mayflower Dri. *Rug* —3B **22**
Mayock Cres. *Staf* —3B **12**

Mdw. Bank Av. *West* —1G **9**
Meadowbank Ct. *Stone* —5E **3**
Mdw. Bank Wlk. *Staf* —3C **6**
Meadow Clo. *Ecc* —1B **4**
Meadow Ct. *Staf* —5G **13**
Meadow Dri. *Hau* —5C **10**
Meadow Glade. *Hixon* —2H **17**
Meadow La. *Act T* —6E **17**
Meadow La. *Derr* —3G **11**
Meadow Ridge. *Staf* —5A **14**
Meadow Rd. *Staf* —5F **13**
Meadows, The. *Rug* —6G **23**
Meadow Way. *Stone* —5B **2**
Meadway Dri. *Staf* —2A **20**
Meaford Av. *Stone* —1B **2**
Meakin Clo. *Stone* —5E **3**
Meakin Gro. *Staf* —5B **6**
Meakin Ho. *Stone* —2B **2**
Melbourne Cres. *Staf* —6H **7**
Melrose Av. *Staf* —6B **12**
Melrose Av. *Stone* —6E **3**
Mendip Av. *Staf* —1C **20**
Mercer Av. *Stone* —4E **3**
Mere La. *Penk* —6A **24**
Merrey Rd. *Staf* —6E **13**
Merrivale Rd. *Staf* —6E **13**
Mersey Clo. *Rug* —1D **22**
Meyrick Rd. *Staf* —4E **13**
Micklewood Clo. *Penk* —4C **24**
Micklewood La. *Penk* —6D **24**
Middle Friars. *Staf* —3E **13**
Milford Rd. *Staf* —6C **14**
Mill Bank. *Staf* —3E **13**
Mill Ct. *Gt Hay* —3D **16**
Millhouse Gdns. *Penk* —2C **24**
Millington St. *Rug* —2E **23**
Mill La. *Act T* —4F **19**
Mill La. *Gt Hay* —2D **16**
Mill La. *Rug* —3E **23**
Millside. *Rug* —5A **22**
Mill St. *Penk* —2B **24**
Mill St. *Staf* —2E **13**
Mill St. *Stone* —3C **2**
Millwalk Av. *Stone* —4E **3**
Milton Gro. *Staf* —6B **12**
 (in two parts)
Miss Pickerings Fld. *Act T*
 —6H **19**
Moat Ho. Dri. *Hau* —5C **10**
Montville Dri. *Staf* —5B **12**
Moor Clo. *Act T* —5H **19**
Moore Clo. *Stone* —5E **3**
Moorfields. *Staf* —4D **6**
Moor Hall La. *Penk* —4D **24**
Moorings, The. *Colw* —6G **17**
Moorings, The. *Stone* —3C **2**
Moorland Clo. *Rug* —3B **22**
Moor La. *Seigh* —4E **5**
Moreton Rd. *Staf* —1D **18**
Morland Clo. *Stone* —6D **2**
Morris Dri. *Staf* —1A **14**
Moss Grn. *Rug* —2B **22**
Mossley, The. *Rug* —5E **23**
Mosspit. *Staf* —2E **19**
Mossvale Gro. *Staf* —6A **6**
Mount Av. *Stone* —1B **2**
Mount Cres. *Stone* —1B **2**
Mount Edge. *Hopt* —2H **7**
 (in two parts)
Mount Ind. Est. *Stone* —1B **2**
Mt. Pleasant. *Derr* —3G **11**
Mt. Pleasant Clo. *Stone* —5F **3**
Mount Rd. *Rug* —2A **22**
Mount Rd. *Stone* —1A **2**
Mount Row. *Staf* —2E **13**
Mount St. *Staf* —2E **13**
Mount St. *Stone* —1C **2**
Myatt Way. *Rug* —6E **23**
Mynors St. *Staf* —2G **13**

Naggington Dri. *Penk* —4D **24**
Nanny Goat La. *Stone* —2C **2**
Nash Av. *Staf* —5B **6**
Nash La. *Act T* —6H **19**
Nelson Way. *Staf* —1E **19**
Newall Av. *Staf* —6H **7**
Newbury Clo. *Staf* —6A **14**
Newcastle Rd. *Cot H* —1B **4**
Newcastle Rd. *Stone* —1A **2**
Newcastle St. *Stone* —2B **2**
New Garden St. *Staf* —3E **13**
Newland Av. *Staf* —4D **6**
Newlands Clo. *Penk* —4C **24**
Newlands Clo. *Stone* —5B **2**
Newman Clo. *Stone* —3E **3**
Newman Gro. *Rug* —5E **23**
Newport Rd. *Ecc* —3B **4**
Newport Rd. *Gt Bri* —1E **5**
Newport Rd. *Hau* —5C **10**
Newport Rd. *Staf* —4B **12**
Newquay Av. *Staf* —5B **14**
New Rd. *Hixon* —2G **17**
New Rd. *Penk* —2B **24**
New Rd. Est. *Hixon* —1G **17**
New St. *Staf* —6D **6**
Newton Rd. *Staf* —6F **7**
Nicholl's La. *Oul* —1D **2**
Norfolk Way. *Staf* —6C **12**
Norman Rd. *Penk* —3D **24**
North Av. *Staf* —4D **6**
N. Castle St. *Staf* —2D **12**
Northcote Clo. *L Hay* —5G **17**
Northesk St. *Stone* —2B **2**
North Pl. *Staf* —6D **6**
North Walls. *Staf* —2E **13**
Nursery Dri. *Penk* —1B **24**
Nursery La. *Staf* —6D **6**
Nursery Rd. *Rug* —6A **22**

Oak Av. *Staf* —1D **20**
Oak Clo. *Gt Hay* —4E **17**
Oakfield Clo. *Rug* —2A **22**
Oak Gdns. *Hau* —5D **10**
Oakhurst Pk. *Rug* —6A **22**
Oaklands Dri. *Staf* —4D **12**
Oaklands, The. *Rug* —3B **22**
Oakleigh Ct. *Stone* —5F **3**
Oakleigh Dri. *Rug* —6G **23**
Oakley Clo. *Penk* —2D **24**
Oakley Copse. *Rug* —5A **22**
Oakridge Clo. *Staf* —2C **20**
Oakridge Way. *Staf* —2C **20**
Oak Rd. *Ecc* —2A **4**
Oak Rd. *Staf* —4C **12**
Oak Rd. *Stone* —3D **2**
Oaktree Clo. *Staf* —6B **12**
Oaktree Rd. *Rug* —6E **23**
Oakwood. *Rug* —3A **22**
Oldacre La. *Broc* —4F **21**
Old Chancel Rd. *Rug* —2D **22**
Old Coach La. *Broc* —3F **21**
Old Croft Rd. *Stone* —2C **20**
Old Eaton Rd. *Rug* —1D **22**
Oldfield Dri. *Stone* —5E **3**
Oldfields Cres. *Gt Hay* —3E **17**
Oldfields La. *Gt Hay* —2E **17**
Oldford La. *Cot C* —1D **10**
Oldhill La. *Tix* —4H **15**
Old Rectory Rd. *Stone* —3D **2**
Old Rickerscote La. *Staf* —2F **19**
Old Rd. *Stone* —2C **2**
Old Rd. *West* —1H **9**
Old Rd. Clo. *Stone* —2C **2**
Old School Clo. *West* —1H **9**
One Oak Ri. *Staf* —2F **19**
Opal Way. *Stone B* —6B **2**
Orchard Clo. *Oul* —4B **2**
Orchard Clo. *Penk* —2C **24**

Orchard Clo. *Rug* —1D **22**
Orchard Cres. *Penk* —2C **24**
Orchard La. *Hyde L* —2C **18**
Orchard St. *Staf* —3E **13**
Orchard, The. *Hopt* —1A **8**
Orchard, The. *L Hay* —5E **17**
Orwell Dri. *Staf* —5B **12**
Osborne Cres. *Staf* —5A **14**
Otherton Clo. *Penk* —3B **24**
Otherton La. *Penk* —5C **24**
Otterburn Clo. *Staf* —1B **20**
Oulton Rd. *Stone* —2C **2**
Oulton Way. *Staf* —5B **6**
Outwoods Clo. *West* —1H **9**
Oval, The. *Staf* —3F **13**
Overhill Rd. *Staf* —1B **20**
Overland Clo. *Bre* —6F **23**
Overpool Clo. *Rug* —4C **22**
Owens Clo. *Rug* —3D **22**
Owen Wlk. *Staf* —6C **12**
Oxbarn Rd. *Staf* —1D **18**
Oxford Gdns. *Staf* —6E **7**
Oxleathers Ct. *Staf* —6B **12**

Paddock Clo. *Staf* —3B **6**
Paddock, The. *Seigh* —5E **5**
Paget Clo. *L Hay* —5F **17**
Paget Clo. *Penk* —4D **24**
Palmer Clo. *Staf* —1H **13**
Panton Clo. *Staf* —1H **13**
Pantulf Clo. *Staf* —4D **12**
Park Av. *Staf* —5D **12**
Park Av. *Stone* —3A **2**
Park Cres. *Staf* —4E **13**
Parker's Cft. Rd. *Staf* —3E **13**
Parkfield Bus. Cen. *Staf* —3E **13**
 (off Park St.)
Parkfields. *Staf* —5D **12**
Pk. Hall Clo. *Rug* —1C **22**
Park Ho. Dri. *Stone* —4E **3**
Park La. *Broc* —3F **21**
Park La. *Hau* —6C **10**
Parkside Av. *Staf* —2C **6**
Parkside Shop. Cen. *Staf* —3D **6**
Park St. *Staf* —3E **13**
Pk. View Ter. *Rug* —3C **22**
Parkway. *Stone* —4E **3**
Peach Av. *Staf* —1F **19**
Peakes Rd. *Rug* —3A **22**
Pearson Dri. *Stone* —3E **3**
Peel St. *Staf* —2D **12**
Peel Ter. *Staf* —6E **7**
Pellfield Ct. *West* —1H **9**
Pembroke Dri. *Stone* —4E **3**
Penk Dri. N. *Rug* —2A **22**
Penk Dri. S. *Rug* —3A **22**
Penkridge Bank Rd. *Rug* —5A **22**
Penkridge Ind. Est. *Penk* —4B **24**
Penkvale Rd. *Staf* —1F **19**
Penn Cft. *L Hay* —5F **17**
Pennycrofts. *Staf* —2F **13**
Pennycrofts Ct. *Staf* —2F **13**
Perle Brook. *Ecc* —1A **4**
Perrin Clo. *Staf* —1F **19**
Peter James Ct. *Staf* —6E **7**
Phillips Clo. *Stone* —4F **3**
Phoenix Clo. *Staf* —3E **23**
Pike Clo. *Staf* —6G **7**
Pilgrim Pl. *Staf* —3E **13**
Pilgrim St. *Staf* —3E **13**
Pillaton Clo. *Penk* —4C **24**
Pine Cres. *Staf* —1D **20**
Pine Vw. *Rug* —1B **22**
Pinewood Dri. *L Hay* —5F **17**
Pinfold La. *Penk* —3A **24**
Pingle La. *Bed* —6D **20**
Pingle La. *Stone* —4D **2**
Pingle, The. *Rug* —5A **22**

Pintail Clo. *Staf* —6G **13**
Pippins, The. *Staf* —2E **19**
Pirehill La. *Stone* —6B **2**
Pitstone Clo. *Staf* —2D **6**
Pitt St. *Staf* —5C **6**
Plant Cres. *Staf* —6F **13**
Plovers Ri. *Rug* —3C **22**
Pool La. *Broc* —4F **21**
Pool Mdw. Clo. *Rug* —4C **22**
Pope Gdns. *Staf* —6C **12**
Poplar Clo. *Ecc* —2B **4**
Poplar Clo. *Hau* —5C **10**
Poplar Clo. *Stone* —4B **2**
Poplar Way. *Staf* —1E **19**
Porlock Av. *Staf* —5B **14**
Portal Rd. *Staf* —6H **7**
Portleven Clo. *Staf* —6C **14**
Portobello. *Rug* —2D **22**
Post Office La. *Rug* —5A **22**
Power Sta. Rd. *Rug* —2E **23**
Prescott Av. *Staf* —1G **13**
Prescott Dri. *Penk* —2D **24**
Preston Va. La. *Penk* —2A **24**
Prestwood Ct. *Staf* —4E **13**
Prince Av. *Hau* —6D **10**
Princefield Av. *Penk* —3C **24**
Princess Pl. *Staf* —6E **7**
Princes St. *Staf* —2E **13**
Prince's St. *Stone* —1C **2**
Priory Dri. *L Hay* —5F **17**
Priory Rd. *Rug* —6B **22**
Priory Rd. *Stone* —3D **2**
Priory Wlk. *Stone* —4D **2**
Prospect Rd. *Staf* —1F **13**
Puddle Hill. *Hixon* —1H **17**
Pulteney Dri. *Staf* —5B **6**
Pump La. *Rug* —1B **22**
Pyrus Gro. *Rug* —6C **22**

Quarry Clo. *Rug* —4A **22**
Queens Retail Pk. *Staf* —4G **13**
Queen's Sq. *Stone* —1C **2**
Queen St. *Rug* —4E **23**
Queensville. *Staf* —4G **13**
 (in two parts)
Queensville Av. *Staf* —4G **13**
Queensville Bri. *Staf* —4G **13**
Queensway. *Rug* —5D **22**
Queensway. *Staf* —1E **13**

Radford Bank. *Staf* —5H **13**
Radford Clo. *Stone* —2C **2**
Radford Ri. *Staf* —5A **14**
Radford St. *Stone* —2C **2**
Radstock Clo. *Staf* —1B **20**
Railway Cotts. *Rug* —6A **22**
Railway St. *Staf* —2D **12**
Ralph Ct. *Staf* —5B **12**
Rambleford Way. *Staf* —3D **6**
Ranger's Wlk. *Rug* —3A **22**
Ravenhill Clo. *Rug* —6E **23**
Ravenhill Ter. *Rug* —5E **23**
Ravensbank Pk. Mobile Home Pk.
 Hopt —1B **8**
Ravenslea Rd. *Rug* —6E **23**
Ravenswood Crest. *Staf* —6A **14**
Read Av. *Staf* —6F **7**
Reason Rd. *Staf* —2E **19**
Rectory Ct. *Staf* —3D **12**
Rectory La. *Hau* —5D **10**
Redbrook La. *Rug* —6A **22**
 (in two parts)
Redbrook La. Ind. Est. *Rug*
 —6E **23**
Redfern Rd. *Stone* —6B **2**
Redgrave Dri. *Staf* —2B **12**
Redhill. *Staf* —3C **6**

Redhill Gdns. *Stone* —3D **2**
Redhill Gorse. *Staf* —3C **6**
Redhill Rd. *Stone* —3D **2**
Redhills. *Ecc* —2C **4**
Redlands, The. *Stone* —4E **3**
Red Lion St. *Staf* —1E **13**
Redmond Clo. *Rug* —2B **22**
Redwood Av. *Stone* —5D **2**
Regency Ct. *Rug* —6G **23**
Regent St. *Oul* —2B **2**
Rendermore Clo. *Penk* —4B **24**
Repton Clo. *Staf* —4H **13**
Reva Rd. *Staf* —5E **13**
Rhein Way. *Staf* —5G **13**
Richards Av. *Staf* —1G **13**
Richfield La. *Bed* —6D **20**
Richmond Clo. *Staf* —6E **13**
Richmond Gro. *Stone* —4C **2**
Rickerscote Av. *Staf* —1G **19**
Rickerscote Hall La. *Staf*
 —2G **19**
Rickerscote Rd. *Staf* —1E **19**
Rider's Way. *Rug* —3A **22**
Ridge Cft. *Stone* —4E **3**
Ridge La. *L Hay* —5F **17**
Ridgemont Ct. *Stone* —4E **3**
Ridge Pl. *Staf* —6A **6**
Ridgeway. *Hixon* —2H **17**
Ridgeway Clo. *Hopt* —3A **8**
Ridgeway Clo. *Hyde L* —2C **18**
Ridgeway, The. *Staf* —6A **6**
Rimbach Dri. *L Hay* —5F **17**
Ring, The. *L Hay* —4E **17**
Ripon Dri. *Staf* —6A **14**
Rise, The. *Rug* —6E **23**
Rise, The. *Staf* —6C **14**
Rishworth Av. *Rug* —2D **22**
Rising Brook. *Staf* —6D **12**
Riverside. *Staf* —2E **13**
Riverside Ind. Est. *Rug* —2E **23**
Riversmeade Way. *Staf* —6A **6**
Riverway. *Staf* —3F **13**
River Way. *Stone* —4C **2**
Robinswood. *Staf* —1A **20**
Rockeries, The. *Staf* —1G **19**
Rockhouse Dri. *Gt Hay* —4D **16**
Rodbaston Dri. *Penk* —6A **24**
Roedean Av. *Staf* —5H **13**
Romford Mdw. *Ecc* —2A **4**
Romford Rd. *Staf* —5E **7**
Romney Dri. *Staf* —1B **12**
Rookswood Copse. *Staf* —1A **20**
Roseford La. *Act T* —4G **19**
Rose Hill. *Staf* —2B **12**
Rosemary Av. *Staf* —2F **19**
Rose Way. *Rug* —2B **22**
Rotherwood Dri. *Staf* —4C **12**
Rouse Clo. *Staf* —3B **12**
Rowan Clo. *Stone* —5D **2**
Rowan Glade. *Staf* —1A **20**
Rowley Av. *Staf* —4D **12**
Rowley Bank. *Staf* —5E **13**
Rowley Bank Gdns. *Staf* —5E **13**
Rowley Clo. *Rug* —6F **23**
Rowley Gro. *Staf* —5E **13**
Rowley Hall Clo. *Staf* —5D **12**
Rowley Hall Dri. *Staf* —5C **12**
Rowley St. *Staf* —6D **6**
Royds Clo. *Hau* —5C **10**
Ruffin Ct. *Stone* —4E **3**
Rugeley Eastern By-Pass. *Rug*
 —1D **22**
Rugeley Rd. *Arm* —6H **23**
Runnymede. *Stone* —5C **2**
Ruskin Dri. *Derr* —3G **11**
Russel St. *Staf* —2D **12**
Russetts, The. *Staf* —1F **19**
Rutherglen Clo. *Rug* —3B **12**
Rutland Av. *Rug* —6C **22**

Rydall Ho. *Staf* —2F **13**
Rye Ct. *Staf* —6A **6**

Sabine St. *Staf* —4F **13**
Sadler Av. *Stone* —4E **3**
St Albans Rd. *Staf* —4E **7**
St Andrews Rd. *Staf* —6C **12**
St Anthonys Clo. *Staf* —4E **23**
St Augustine's Rd. *Rug* —6D **22**
St Austell Clo. *Staf* —5B **14**
St Benedicts Dri. *L Hay* —5F **17**
St Chads Clo. *L Hay* —6F **17**
St Chad's Clo. *Stone* —5E **3**
St Chad's Pl. *Staf* —2E **13**
St Chads Rd. *Ecc* —2A **4**
St Davids Rd. *Staf* —6D **12**
St Edwards Grn. *Rug* —5D **22**
St George's Rd. *Staf* —3G **13**
St George's Rd. *Stone* —3D **2**
St Giles Gro. *Hau* —5D **10**
St Ives Clo. *Staf* —5B **14**
St James Cres. *Act T* —6H **19**
St John's Clo. *Rug* —4B **22**
St John's Rd. *Staf* —5D **12**
St John's Wlk. *Staf* —2G **13**
(off Tithe Barn Rd.,
in three parts)
St Leonard's Av. *Staf* —4G **13**
St Martin's Pl. *Staf* —2E **13**
St Mary's Ga. *Staf* —2E **13**
St Mary's Gro. *Staf* —2E **13**
St Mary's Pl. *Staf* —2E **13**
St Marys Rd. *L Hay* —6F **17**
St Matthews Dri. *Derr* —3F **11**
St Mawes Clo. *Staf* —5B **14**
St Michael's Clo. *Penk* —3B **24**
St Michael's Clo. *Staf* —5C **14**
St Michaels Clo. *Stone* —3C **2**
St Michael's Dri. *Rug* —6A **22**
St Michael's Mt. *Stone* —5E **3**
St Michael's Rd. *Penk* —2B **24**
St Michael's Rd. *Rug* —6A **22**
St Michael's Sq. *Penk* —2B **24**
St Modwena Way. *Penk* —4C **24**
St Patrick's Pl. *Staf* —1E **13**
(off St Patrick's St.)
St Patrick's St. *Staf* —1D **12**
St Pauls Rd. *Rug* —4E **23**
St Peter's Clo. *Staf* —1F **19**
St Peter's Gdns. *Staf* —2F **19**
St Thomas La. *Tix* —2B **14**
St Thomas St. *Staf* —2G **13**
St Vincent Rd. *Stone* —3A **2**
Salcombe Av. *Staf* —5B **14**
Salisbury Dri. *Staf* —1H **13**
Salisbury Rd. *Staf* —1H **13**
Salmond Av. *Staf* —1H **13**
Salt Av. *Staf* —4E **13**
Salter St. *Staf* —2E **13**
Saltheath La. *Salt* —1C **8**
Saltings Res. Mobile Home Pk.,
The. *Staf* —3B **14**
Salt Rd. *Staf* —4E **13**
Salt Works La. *West* —1H **9**
Sandalwood Dri. *Staf* —6E **7**
Sandon M. *Staf* —5F **7**
Sandon Rd. *Hopt* —3F **7**
Sandon Rd. *Staf* —6E **7**
Sandown Cft. *Staf* —3D **12**
Sandringham Clo. *Staf* —5A **14**
Sandringham Rd. *Staf* —5A **14**
Sandyford St. *Staf* —6E **7**
Sandy La. *Rug* —5D **22**
Sankey Cres. *Rug* —5D **22**
Saplings Clo. *Penk* —2C **24**
Saplings, The. *Penk* —2C **24**
Sarah Challinor Clo. *Rug* —4D **22**
Sash St. *Staf* —1D **12**

Savoureuse Dri. *Staf* —5G **13**
Sawpit La. *Broc* —4E **21**
Saxifrage Dri. *Stone* —5E **3**
Saxon Rd. *Penk* —3C **24**
Sayers Rd. *Staf* —4C **6**
School La. *Duns* —6F **19**
School La. *Gt Hay* —3D **16**
School La. *Staf* —2F **19**
School La. *Walt* —1D **20**
School La. Clo. *Staf* —2F **19**
School Pl. *Staf* —6E **7**
School Rd. *Ecc* —2A **4**
School Rd. *Rug* —2C **22**
Seabrooke Rd. *Rug* —6A **22**
Searle Av. *Staf* —2C **12**
Seaton Av. *Staf* —5C **14**
Second Av. *Staf* —4B **6**
Seighford Rd. *Seigh* —5E **5**
Selworthy Dri. *Staf* —1C **20**
Selwyn Ct. *Ecc* —1B **4**
(off Castle St.)
Setterfield Way. *Rug* —6E **23**
Shaftsbury Rd. *Rug* —6D **22**
Shakespeare Rd. *Staf* —5C **12**
Shallowford M. *Staf* —6D **6**
Shannon Rd. *Staf* —1D **18**
Shardlow Clo. *Stone* —5E **3**
Sharnbrook Dri. *Rug* —2B **22**
Sharnbrook Gro. *Staf* —1A **20**
Shaw Gdns. *Staf* —6C **12**
Shawman's La. *Hau* —5A **10**
Shawms Crest. *Staf* —5A **14**
Shaws La. *Ecc* —2A **4**
Shebdon Clo. *Staf* —4B **6**
Sheep Fair. *Rug* —3D **22**
Shelley Clo. *L Hay* —5F **17**
Shelley Clo. *Staf* —6G **7**
Shelmore Clo. *Staf* —3B **6**
Shelsley Clo. *Penk* —2D **24**
Shenley Gro. *Staf* —1D **18**
Shephard Clo. *Gt Hay* —2D **16**
Shepherds Bush St. *Staf* —6E **7**
Shepherds Fold. *Staf* —1A **20**
Shepley Clo. *Stone* —4E **3**
Sherbrook Clo. *Broc* —4E **21**
Sheridan Cen. *Staf* —2E **13**
(off Mount Row)
Sheridan St. *Staf* —1F **13**
Sheridan Way. *Stone* —4F **3**
Sheriffs Way. *Ecc* —1A **4**
Sheringham Covert. *Staf* —1A **14**
Sheringham Dri. *Staf* —2A **22**
Sherwood Av. *Staf* —6E **13**
Shipston Dri. *Staf* —4B **14**
Shireoaks Dri. *Staf* —1A **20**
Shooting Butts Rd. *Rug* —3A **22**
Shrewsbury Rd. *Staf* —4E **13**
Shrubbery, The. *Rug* —6G **23**
Shugborough Rd. *Rug* —1B **22**
Sidings Clo. *Stone* —1A **2**
Sidmouth Av. *Staf* —5B **14**
Sidney Av. *Staf* —6F **13**
Siemens Rd. *Staf* —4E **13**
Silkmore Cres. *Staf* —5G **13**
Silkmore La. *Staf* —1F **19**
(in two parts)
Silverthorn Way. *Staf* —6A **14**
Silvester Way. *Staf* —1C **20**
Simeon Way. *Stone* —5E **3**
Simpson Clo. *Staf* —4B **6**
Slaidburn Gro. *Staf* —6A **14**
Slessor Rd. *Staf* —6G **7**
Slitting Mill Rd. *Rug* —5A **22**
Small La. *Ecc* —1B **4**
Smallman St. *Staf* —1F **13**
Smithy La. *Hixon* —2H **17**
Smithy La. *Seigh* —5D **4**
Snead Clo. *Staf* —1A **14**
Sneydlands. *Rug* —3E **23**

Snow Hill. *Staf* —1E **13**
Snows Yd. *Staf* —1D **12**
Somerset Av. *Rug* —6C **22**
Somerset Rd. *Staf* —6C **12**
Somervale. *Staf* —1A **20**
Somerville Sq. *Staf* —1F **19**
Southfields Clo. *Staf* —2D **18**
Southfields Rd. *Staf* —1D **18**
South St. *Staf* —2D **12**
South Walls. *Staf* —2E **13**
Southwell Est. *Ecc* —2B **4**
Sparrow Clo. *L Hay* —5F **17**
Speechly Dri. *Rug* —6C **22**
Spencer Clo. *West* —1G **9**
Spenser Clo. *Staf* —5C **12**
Spinneyfields. *Staf* —2B **20**
Spode Av. *Staf* —3H **7**
Spreadoaks Dri. *Staf* —2B **20**
Sprengers Clo. *Penk* —2D **24**
Springfield Av. *Rug* —5E **23**
Springfield Dri. *Staf* —2E **19**
Springfield Est. *Rug* —1C **22**
Springfields Rd. *Rug* —1C **22**
Spring Gdns. *Stone* —6C **2**
Springhill Ter. *Rug* —6E **23**
Springvale Ri. *Staf* —3D **6**
Springwood Dri. *Stone* —4F **3**
Spruce Wlk. *Staf* —1B **22**
Square, The. *Derr* —3F **11**
Square, The. *Gt Hay* —3D **16**
Squirrel Wlk. *Staf* —3E **19**
Stables, The. *Gt Hay* —3D **16**
Stafford Brook Rd. *Rug* —2A **22**
Stafford Clo. *Stone* —4C **2**
Stafford Rd. *Ecc* —2B **4**
Stafford Rd. *Penk* —1B **24**
Stafford Rd. *Stone* —4C **2**
Stafford Rd. *West* —1F **9**
Staffordshire Technology Pk. *Staf*
—6A **8**
Stafford St. *Ecc* —1B **4**
Stafford St. *Staf* —2E **13**
Stafford St. *Stone* —3C **2**
Stag Clo. *Rug* —3A **22**
Staines Ct. *Stone* —4E **3**
Stanford Clo. *Penk* —2B **24**
Stanway Ct. *Staf* —6F **7**
Station App. *Stone* —2B **2**
Station Rd. *Hau* —6A **10**
Station Rd. *Penk* —2B **24**
Station Rd. *Rug* —3D **22**
Station Rd. *Staf* —3D **12**
Station Rd. *Stone* —2B **2**
Steadman Cres. *Staf* —1E **19**
Stevenson Dri. *Staf* —6C **12**
Stile Clo. *Rug* —6E **23**
Stile Cop Rd. *Rug* —6C **22**
Stocking-Gate La. *Cot C* —4B **10**
Stockton La. *Staf* —6C **14**
Stone Bus. Pk. *Stone* —6D **2**
Stone Cross. *Penk* —2B **24**
Stone Enterprise Cen. *Stone*
—6D **2**
Stonefield M. *Stone* —2B **2**
Stonefield Sq. *Stone* —2C **2**
Stonehouse Rd. *Rug* —4A **22**
Stoneleigh Ct. *Hyde L* —2C **18**
Stonepine Clo. *Staf* —1A **20**
Stone Rd. *Ecc* —1B **4**
Stone Rd. *Staf* —6D **6**
Stowe La. *Hixon* —1H **17**
Streamside Clo. *Penk* —3C **24**
Stretton Av. *Staf* —5B **6**
Stuart Clo. *Stone* —6B **2**
Stuart Clo. N. *Stone* —5B **2**
Stubbs Dri. *Stone* —4F **3**
Stychfields. *Staf* —4F **13**
Summerstreet La. *Stone* —1H **3**
Sundown Dri. *Staf* —5A **12**

Sunningdale. *Stone* —4C **2**
Sunningdale Dri. *Staf* —2A **14**
Surrey Clo. *Rug* —6C **22**
Surrey Rd. *Staf* —5C **12**
Sutherland Rd. *Stone* —4D **2**
Sutton Clo. *Rug* —6E **23**
Sutton Dri. *Staf* —1A **12**
Swallow Clo. *Rug* —2C **22**
Swallowdale. *Staf* —1B **20**
Swan Clo. *Rug* —6A **22**
Swan Clo. *Staf* —3C **12**
Sweetbriar Way. *Staf* —1A **20**
Swinburne Clo. *Staf* —5C **12**
Sycamore Cres. *Rug* —6F **23**
Sycamore Dri. *Hixon* —2H **17**
Sycamore La. *Staf* —6B **12**
Sycamore Rd. *Stone* —3D **2**
Sylvan Way. *Staf* —2A **20**

Talbot Rd. *Rug* —6E **23**
Talbot Rd. *Staf* —4E **13**
Talbot St. *Rug* —4E **23**
Tallpines. *Staf* —6A **14**
Tamar Gro. *Staf* —5B **12**
Tannery Clo. *Staf* —3E **23**
Tannery Wlk. *Stone* —5C **2**
Taplin Clo. *Staf* —4D **6**
Tarragona Dri. *Staf* —5G **13**
Tasman Dri. *Staf* —6H **7**
Taverners Dri. *Stone* —5F **3**
Tavistock Av. *Staf* —4B **14**
Taylor's La. *Rug* —3D **22**
Taylor Wlk. *Staf* —6C **12**
Tedder Rd. *Staf* —6G **7**
Teddesley Rd. *Bed* —6A **20**
Teddesley Rd. *Penk* —2B **24**
Telegraph St. *Staf* —4E **13**
Telford Clo. *Stone* —5E **3**
Telford Dri. *Staf* —3F **7**
Templars Way. *Penk* —4C **24**
Ten Butts Cres. *Staf* —2F **19**
Tenby Dri. *Staf* —4F **7**
Tennyson Rd. *Staf* —5B **12**
Tenterbanks. *Staf* —2D **12**
Teveray Dri. *Penk* —4C **24**
Thackeray Wlk. *Staf* —6C **12**
Thames Way. *Staf* —5B **12**
Thirlmere Way. *Staf* —6E **13**
Thistle Clo. *Rug* —2B **22**
Thomas Av. *Staf* —2B **12**
Thomas Av. *Stone* —5E **3**
Thompson Clo. *Staf* —6C **12**
Thompson Rd. *Rug* —6B **22**
Thorn Clo. *Rug* —5F **23**
Thorneyfields La. *Staf* —5A **12**
(in two parts)
Tilcon Av. *Staf* —3A **14**
Tildesley Clo. *Penk* —3B **24**
Tilling Dri. *Stone* —4B **2**
Tillington St. *Staf* —6D **6**
Tipping St. *Staf* —2E **13**
Tithe Barn Ct. *Staf* —1G **13**
Tithebarn Rd. *Rug* —2D **22**
Tithe Barn Rd. *Staf* —2G **13**
Tiverton Av. *Staf* —5B **14**
Tixall Ct. *Tix* —2A **16**
Tixall M. *Tix* —2H **15**
Tixall Rd. *Staf* —2G **13**
Tolldish La. *Gt Hay* —2E **17**
Tollgate Dri. *Staf* —4F **7**
Tollgate Ind. Est. *Staf* —3F **7**
(in two parts)
Top Rd. *Act T* —6H **19**
Torridge Dri. *Staf* —5B **12**
Torrington Av. *Staf* —5C **14**
Toy Clo. *Rug* —3F **23**
Treetops. *Staf* —6A **14**
Trenchard Av. *Staf* —1G **13**

Trent Clo. *Gt Hay* —3D **16**
Trent Clo. *Staf* —1F **19**
Trent La. *Gt Hay* —3D **16**
Trent Rd. *Stone* —2A **2**
Trent Valley Trad. Est. *Rug*
    —1E **23**
Trent Vw. Clo. *Rug* —5F **23**
Trent Wlk. *Ing* —4H **9**
Trevelyan's Grn. *Staf* —3C **6**
Trinity Dri. *Stone* —2B **2**
Trinity Gorse. *Staf* —3B **6**
Trinity Ri. *Staf* —3B **6**
Trinity Rd. *Ecc* —2A **4**
Trubshaw Clo. *L Hay* —5G **17**
Trussell Clo. *Act T* —6G **19**
Tudor Dri. *Stone* —5B **2**
Tudor Ri. *Staf* —3C **6**
Tudor Way. *Staf* —4B **12**
Tullis Clo. *Staf* —3C **12**
Tunley St. *Stone* —2B **2**
Tunnicliffe Dri. *Rug* —3C **22**
Turney Gro. *Staf* —5C **12**
Turnhill Clo. *Staf* —1C **18**
Twemlow Clo. *Derr* —3F **11**
Tylecote Cres. *Gt Hay* —3D **16**
Tyler Gro. *Stone* —4A **2**
Tyria Way. *Staf* —5G **13**

Ullswater Dri. *Stone* —3F **3**
Underwood Clo. *Staf* —3C **6**
University Ct. *Staf* —6A **8**
Upfield Way. *Rug* —2B **22**
Uplands Clo. *Penk* —1B **24**
Uplands Grn. *Rug* —6C **22**
Uplands Rd. *Staf* —1D **18**
Uplands, The. *Gt Hay* —3D **16**
Upmeadows Dri. *Staf* —4B **12**
Up. Brook St. *Rug* —4D **22**
Up. Cross Rd. *Rug* —5D **22**
Upton Pl. *Rug* —3C **22**
Usulwall Clo. *Ecc* —2A **4**
Uttoxeter Rd. *Stone* —5F **3**

Vale Gdns. *Penk* —4B **24**
Vale Ri. *Penk* —3B **24**
Valley Rd. *Stone* —4C **2**
Varden Ct. *Rug* —3D **22**
Vardon Clo. *Staf* —2A **14**
Vaughan Way. *Staf* —4B **12**
Verdon Clo. *Penk* —4D **24**
Verulam Ct. *Staf* —4E **7**
Verulam Rd. *Staf* —4E **7**
Verwood Clo. *Staf* —1A **14**
Vicarage Clo. *Ecc* —1A **4**

Vicarage Way. *Staf* —4D **12**
Vicars Cft. *Rug* —2E **23**
Victoria Rd. *Staf* —3D **12**
Victoria Sq. *Staf* —2D **12**
Victoria St. *Staf* —1E **13**
Victoria St. *Stone* —2C **2**
Victoria Ter. *Staf* —6E **7**
Victoria Way. *Staf* —2C **20**
Victor St. *Stone* —2B **2**
Vigar Pl. *Staf* —1F **19**
Village Gdns. *Staf* —6D **14**
Village, The. *Walt* —1D **20**
Vine Clo. *Hixon* —2G **17**
Virginia Av. *Staf* —5G **13**

Walden Av. *Staf* —5D **6**
Walhouse Dri. *Penk* —4C **24**
Walland Gro. *Staf* —1B **12**
Walnut Ct. *Rug* —6F **23**
Walnut Cres. *Hixon* —2H **17**
Waltonbury Clo. *Walt* —1D **20**
Walton Grange. *Stone* —4C **2**
Walton Ind. Est. *Stone* —5C **2**
  (in two parts)
Walton La. *Broc* —2E **21**
Walton Lodge. *Walt* —1D **20**
Walton Mead Clo. *Staf* —6D **14**
Walton Way. *Stone* —4B **2**
Warm Cft. *Stone* —4E **3**
Warrens La. *Staf* —5B **6**
Warwick Rd. *Staf* —5H **13**
Washington Dri. *Staf* —5G **13**
Waterbrook Clo. *Penk* —4B **24**
Water Eaton La. *Penk* —4A **24**
Waterford Ct. *Staf* —6G **7**
  (off Elworthy Clo.)
Waterside. *Rug* —6E **23**
Waterside Bus. Pk. *Rug* —6G **23**
Watersmeet Ct. *Stone* —5E **3**
Water St. *Staf* —2E **13**
Watery La. *Hau* —6D **10**
Watkiss Dri. *Rug* —3C **22**
Watson Clo. *Rug* —1C **22**
Wattfield Clo. *Rug* —6A **22**
Wattles La. *Act T* —6H **19**
Wat Tyler Clo. *Rug* —1C **22**
Waverley Gdns. *Rug* —2A **22**
Wayfield Dri. *Staf* —3D **6**
Weaver Dri. *Staf* —5B **12**
Weavers La. *Stone* —5D **2**
Wedgwood Rd. *Hopt* —3H **7**
Weeping Cross. *Staf* —6B **14**
Wellington Dri. *Rug* —4E **23**
Wells Dri. *Staf* —1C **20**
Wellyards Clo. *West* —1H **9**

Wentworth Dri. *Staf* —2A **14**
Wesley Dri. *Stone* —5E **3**
Westbury Hayes. *Staf* —5A **12**
W. Butts Rd. *Rug* —3A **22**
West Clo. *Staf* —2G **13**
West Clo. *Stone* —4B **2**
W. Douglas Rd. *Staf* —6G **7**
Western Springs Rd. *Rug*
    —2C **22**
Westhead Av. *Staf* —1G **13**
Westhorpe. *Staf* —4D **12**
Westminster Clo. *Staf* —5A **14**
Weston Bank. *Hopt* —3D **8**
Weston Rd. *Staf* —2G **13**
West Way. *Staf* —4C **12**
W. Way Grn. *Staf* —5C **12**
Westwood Dri. *Penk* —3C **24**
Wetherall Clo. *Rug* —2C **22**
Wharf Rd. *Rug* —5D **22**
Wheatcroft Clo. *Penk* —3B **24**
Whimster Sq. *Staf* —5A **12**
Whitby Clo. *Staf* —6C **12**
Whitebridge La. *Stone* —1A **2**
Whitebridge La. Ind. Est. *Stone*
    —1A **2**
White Lion St. *Staf* —3E **13**
Whitemill La. *Stone* —4B **2**
White Oaks. *Staf* —2A **20**
Whitgreave Ct. *Staf* —6D **6**
Whitgreave La. *Gt Bri* —1E **5**
Whitgreave La. *Rug* —6D **22**
Whittingham Dri. *Staf* —5B **12**
Whitworth La. *Rug* —2A **22**
Widecombe Av. *Staf* —6C **14**
Wildwood Dri. *Staf* —6A **14**
Wildwood Ga. *Staf* —1B **20**
Wildwood Lawns. *Staf* —6A **14**
Wildwood Shop. Cen. Staf
  (off Wildwood Ga.) —1B **20**
Wilke's Wood. *Staf* —3H **5**
William Morris Ct. *Rug* —1C **22**
Williams Clo. *Staf* —2B **12**
Williams Ct. *Staf* —4F **7**
Willoughby Clo. *Penk* —4C **24**
Willowbrook. *Derr* —3G **11**
Willow Clo. *Staf* —1D **20**
Willowmoor. *Staf* —2E **19**
Willow Rd. *Stone* —4D **2**
Willows, The. *Rug* —6A **22**
Willows, The. *Stone* —5D **2**
Willow Wlk. *Stone* —4D **2**
Wilmore Ct. *Hopt* —2B **8**
Wilmore Hill La. *Hopt* —2A **8**
Winchester Clo. *Staf* —1A **20**
Windermere Ho. *Staf* —2F **13**
Windsor Clo. *Stone* —6B **2**

Windsor Rd. *Staf* —6H **13**
Winsford Cres. *Staf* —1C **20**
Winstanley Clo. *Rug* —2C **22**
Winstanley Pl. *Rug* —2C **22**
Wiscombe Av. *Penk* —2C **24**
Within La. *Hopt* —1A **8**
Witney Rd. *Staf* —4B **14**
Wogan St. *Staf* —6E **7**
Wolgarston Way. *Penk* —4C **24**
Wolseley Clo. *Colw* —6G **17**
Wolseley Rd. *Rug* —1C **22**
Wolseley Rd. *Staf* —2A **14**
Wolverhampton Rd. *Penk*
    —4A **24**
Wolverhampton Rd. *Staf* —4E **13**
Woodbank La. *Penk* —1D **24**
Woodberry Clo. *Staf* —3F **19**
Woodcock Rd. *Rug* —3B **22**
Woodcote, The. *Staf* —6A **14**
Wood Cres. *Staf* —5B **6**
Wood Cres. *Stone* —6B **2**
Woodheyes Lawns. *Rug* —3B **22**
Woodhouse La. *Hau* —5A **10**
Woodings Yd. *Staf* —3E **13**
  (off Bailey St.)
Woodlands Av. *Stone* —3A **2**
Woodlands Clo. *Staf* —4C **6**
Woodlands Clo. *Stone* —3A **2**
Woodlands Rd. *Staf* —4B **6**
Wood La. *Stone* —6B **2**
Woodleyes Cres. *Staf* —1B **20**
Woodside Clo. *L Hay* —5F **17**
Woodstock Rd. *Staf* —4B **14**
Woodtherne Clo. *Penk* —3C **24**
Woodthorne Clo. *Rug* —2B **22**
Wood Vw. *Rug* —6E **23**
Wootton Dri. *Staf* —4A **6**
Wordsworth Av. *Staf* —5B **12**
Wrenswood. *Staf* —1A **20**
Wright St. *Staf* —6E **7**
Wulfad Ct. *Stone* —4E **3**
Wulfric Clo. *Penk* —3D **24**
Wycherwood Gdns. *Staf* —2B **20**

Yarlet Cft. *Staf* —5D **6**
Yarnfield La. *Stone* —3A **2**
Yelverton Av. *Staf* —5B **14**
Yew Tree Clo. *Derr* —3G **11**
Yew Tree Ct. *Staf* —3E **19**
Yew Tree Rd. *Rug* —6E **23**
York Rd. *Staf* —5G **13**
York St. *Stone* —1C **2**
Young Av. *Staf* —5C **6**